헬라어 쓰기성경

Πρός Ἑβραίους

– 히브리서 –

언약성경연구소

케타브 프로젝트: 헬라어 쓰기성경 – 히브리서

━━━━━━━━━━━━━━━━━━━

발 행 | 2024년 7월 26일
저 자 | 이학재
발행인 | 허동보
편집·디자인 | 허동보

등록번호 | 제2024-000094호
발행처 | 수현북스
주 소 | 경기도 용인시 기흥구 공세로 150-29, B01-G444호(공세동)

ISBN | 979-11-988320-6-1
가 격 | 19,300원

כתב Project

헬라어쓰기성경

Πρός Ἑβραίους

- 히브리서 -

영·한·그리스어
대역대조 쓰기성경

언약성경연구소

* 본 책에는 맛싸성경(한글), 개역한글(한글), Westcott-Hort Greek NT(헬라어), NET(영어) 성경 역본이 사용되었으며,
  KoPub 바탕체, KoPub 돋움체, Noto Serif Display, 세방체 폰트가 사용되었습니다.
  헬라어 알파벳표와 모음표는 『왕초보 헬라어 펜습자』(허동보 저) 저자의 동의를 받고 첨부하였습니다.
  맛싸성경3은 저자 이학재 교수가 원문성경에서 직접 번역한 번역물로 번역 저작물이 저작권협회에 접수된 개인번역입니다.

목 차

목 차 ······················· 5

인사말 ······················· 6

이 책의 활용법 ················· 8

헬라어 알파벳 ················· 9

헬라어 모음 Vowel ············· 10

헬라어 쓰기성경 [히브리서] ········ 11

히브리서는 예수 그리스도가 구약의 예언과 상징들을 완성한 최고의 대제사장임을 강조합니다. 히브리인들에게 보낸 서간이라고도 불리며, 신약성경에서 유일하게 저자가 본문에 직접적으로 언급되지 않는 편지로 사도 바울이나 아볼로 등이 유력한 저자로 거론되고 있습니다. 히브리서는 예수 그리스도의 신격과 구원 역사를 이해하는 데 중요한 역할을 합니다. 또한, 믿음의 중요성과 경건한 삶의 중요성을 강조하여 성도들에게 큰 도움을 줍니다.

이학재 Lee Hakjae · Covenant University 부총장
· 월간 맛싸 대표   · 맛싸성경 번역자   · 언약성경협회장

성경은 말씀으로 읽고 소리내서 낭독하는 훈련이 필요하다. 또한 성경은 precept, 즉 글로 적은 글이다. 십계명도 하나님께서 적어 주신 것이고 구약성경, 신약성경 모두다 사람들이 손으로 필사하여 전해온 것이다. 특히 시편에서는 하나님의 말씀을 '호크'규례, 교훈라고 부르는데 이것은 '하카크' 즉 '새기다, 기록하다'는 의미이다. 성경은 1455년에 라틴어를 출간하기까지 구약은 서기관들에 의해서 두루마리에 필사를 통해서 기록되었고 신약 역시 대문자, 소문자 등을 통해서 손으로 직접 적었다.

이같은 성경은 소리내 읽는 '낭독'과 글로 적는 '호크'precept로 기록된 말씀이다. 물론 타자를 치는 필사를 비롯하여 다양한 방법이 있지만, 특히 AI 시대에는 주관성과 개인의 특성을 가진 영성이 품어 나오는 적기 성경 즉 '필사 성경'이 필요하다. 시중에 한글 필사성경, 영어 등은 이미 출판되어 있지만 원문 필사는 아직 나오지 않았다. 원문 필사를 위해서는 원문만 넣을 것이 아니라 한글의 공적성경개역, 개역개정과 또한 사역이지만 원문에서 번역한 것이 필요한데 이런 면에서 '맛싸 성경'은 중요한 역할을 할 것이다. 아울러 영역본도 함께 제공되어 원문과 함께 번역본들을 보게 되고 자신의 필사 성경도 각권으로 남게 될 것이다.

성경을 적는다는 것은 참으로 중요하다. 기도하면서 성경에서도 달려가면서도 성경을 읽게 하라는 말씀은 성경에도 기록되어 있다하박국 2장. 많은 사람들이 성경을 덮어두거나, '말아 놓았다'. 이제는 적어서 펼쳐 놓아야 한다. 이런 면에서 족자, 액자들 성경 원문 쓰기를 통해서 원문을 보고 묵상하고 더욱 말씀을 가시적으로 보며 그 말씀의 생명력을 가지는 삶을 살아야 할 것이다. 이 모든 것이 '적는 것'גגגג 케타브에서 시작된다. 이 시리즈는 구약 전권 신약 전권의 '쓰기', '적기'를 출간하는 것으로 생각하고 있다. 매일 일정한 양을 쓰면서 원문을 자유롭게 이해하고 원문의 바른 의미, 성경의 의미를 바르게 이해해서 말씀에 근거를 둔 그러한 건강한 말씀 중심의 삶을 살아가시기를 소원한다.

저자   이 학 재

허동보 _Huh Dongbo_ · 수현교회 담임목사 · 수현북스 대표
· 왕초보 히브리어/헬라어 펜습자 저자

교회 역사는 대부분 이단으로부터 교회를 보호하는 역사였습니다. 사도들과 교부들의 가르침, 공의회를 통한 결정들은 우리 신앙의 선배들이 이단으로부터 교회를 지키고자 목숨까지 걸었던 몸부림이라고 해도 과언이 아닙니다. 그 신념, 그 몸부림의 근거는 바로 성경이었습니다. 하나님의 말씀이자 우리 신앙생활의 원천인 성경은 수천년이 지난 이 시대를 살아가는 우리가 쉽게 읽을 수 있도록 전문가들을 통해 비교적 잘 번역되어 있습니다. 그럼에도 불구하고 말씀을 사랑하고 매일 묵상하는 우리 그리스도인들이 히브리어와 헬라어를 배워야 하는 까닭은 무엇일까요?

첫째로 지금도 교회를 노리고 핍박하는 이들로부터 주님의 몸 된 교회를 지키기 위해서입니다. 아무리 번역이 잘 되었다고 하더라도 해당 언어가 가진 고유의 뉘앙스와 의미를 동일하게 전달하는 것은 불가능합니다. 따라서 우리는 원전을 살펴봄으로써 말씀에 대한 왜곡과 오해를 헤쳐 나가야 합니다. 둘째로 언어의 한계성 때문입니다. 성경이 쓰여진 시기의 사회적 배경과 문학적 장치들을 더 잘 전달받기 위해서 우리는 히브리어와 헬라어를 배워야 합니다. 우리는 해당 언어를 통해 한글성경에서 느끼기 힘든 시적 운율과 다양한 의미들을 더욱 세밀하게 들여다볼 수 있으며, 이 과정에서 더 큰 은혜를 느낄 수 있습니다. 셋째로 말씀을 사모하기 때문입니다. 다른 언어를 배운다는 것은 쉽지 않습니다. 그 어려움보다 말씀에 대한 사모가 더욱 간절하기에 우리는 기꺼이 시간과 노력을 할애할 수 있습니다. 이는 마치 해리포터를 사랑하는 사람이 영어를 배우고, 톨스토이를 사랑하는 사람이 러시아어를 배우는 것처럼 원전에 더 가까워지고자 하는 욕망은 말씀을 사모하는 이들이라면 거스를 수 없을 것입니다.

이런 관점에서 언약성경협회와 언약성경연구소의 사역은 하나님의 말씀을 열정적으로 소망하는 우리 그리스도인들에게 있어서 꼭 필요한, 그리고 꼭 이루어 나가야 할 사명이 아닌가 합니다. 이에 말씀을 사모하는 많은 분들이 케타브 프로젝트에 동참하길 소망합니다. 아울러 이학재 교수님을 통해 영광스럽게도 편집과 디자인으로 이 프로젝트에 동참하게 된 것에 대해 주님께 감사드립니다.

편집자

헬라어쓰기성경 활용법

이 책의 구조와 활용법에 대해 알려드립니다.

1. 왼쪽 페이지는 헬라어 성경인 Westcott-Hort Greek NT 와 더불어 맛싸성경과 함께 영문역본 NET2를 대조하였습니다.

   - 맛싸성경은 저자 이학재 박사가 원문성경에서 직접 번역한 번역물로 번역 저작물이 저작권협회에 접수된 개인 번역입니다.

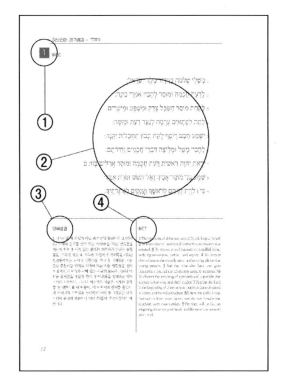

2. 왼쪽 페이지 좌상단에 위치한 숫자는 각 장을 말합니다. 각 절은 본문에 포함되어 있습니다.

   ① 몇 장인지 나타냅니다.
   ② 헬라어 본문입니다.
   ③ 맛싸성경 본문입니다.
   ④ NET2 본문입니다.

3. 여백을 넉넉히 두어 필사와 함께 성경공부를 위한 노트로 사용할 수 있습니다.

* 헬라어쓰기성경을 통해 하나님의 은혜가 더욱 풍성하고 가득한 신앙의 여정이 되시길 소망합니다.

헬라어 알파벳

대문자	소문자	이름	대문자	소문자	이름
A	α	알파	N	ν	뉘
B	β	베타	Ξ	ξ	크시
Γ	γ	감마	O	ο	오미크론
Δ	δ	델타	Π	π	피
E	ε	엡실론	P	ρ	로
Z	ζ	제타	Σ	σ / ς	시그마
H	η	에타	T	τ	타우
Θ	θ	테타	Y	υ	윕실론
I	ι	이오타	Φ	φ	퓌
K	κ	캅파	X	χ	키
Λ	λ	람다	Ψ	ψ	프시
M	μ	뮈	Ω	ω	오메가

헬라어 모음 ^{vowel}

구분＼계열	|아| 계열	|에| 계열	|이| 계열	|오| 계열	|우| 계열
단모음	α	ε	ι	ο	υ
장모음	α	η	ι	ω	υ
ι ^{이오타} 하기	ᾳ	ῃ		ῳ	
그 외 이중모음	αι αυ [아이] [아우]	ει ευ [에이] [유]		οι ου [오이] [우]	υι [위]

헬라어 모음은 위 표를 보면 알 수 있듯이 전혀 어려울 것이 없습니다. '아, 에, 이, 오, 우'만 잘 외우고 있으면 됩니다. 구체적인 발음은 『왕초보 헬라어 펜습자』(허동보 저) 제 2 장 헬라어 모음편을 참조하세요.

약숨표 ^{smooth breathing}	ἀ[아] ἐ[에] ἰ[이] ὀ[오] ὐ[우] ἠ[에] ὠ[오]
강숨표 ^{rough breathing}	ἁ[하] ἑ[헤] ἱ[히] ὁ[호] ὑ[후] ἡ[헤] ὡ[호]

■ 꼭 기억해야 하는 '**숨표**'^{breathings}   ʼ ʽ

헬라어 모음에서 정말 중요한 것 한 가지가 더 있습니다. 바로 숨표^{breathings} 입니다. 숨표에는 '강숨표'^{rough breathing} 와 '약숨표'^{smooth breathing} 가 있습니다. 일반적으로는 약숨표가 주로 사용되지만, 종종 강숨표가 붙은 단어들이 등장합니다. 약숨표가 붙은 단어는 원래 음가 그대로 읽어주면 되지만, 강숨표가 붙은 단어는 'ㅎ'[h] 발음을 넣어서 이름 그대로 '거칠게'^{rough} 읽어줍니다. 이중모음에서 숨표는 뒷 글자에 붙으며, 약숨표와 강숨표는 같은 모양, 반대 방향입니다. 가령 '날'^{day} 을 의미하는 *ἡμέρα* 라는 단어는 '에메라'가 아니라 '헤메라'로 읽습니다. 작은 따옴표처럼 생긴 저 숨표를 잘 체크해야 합니다.

Πρός Ἑβραιους

-히브리서-

1 Westcott-Hort Greek NT

1 Πολυμερῶς καὶ πολυτρόπως πάλαι ὁ θεὸς λαλήσας τοῖς

πατράσιν ἐν τοῖς προφήταις.

2 ἐπ' ἐσχάτου τῶν ἡμερῶν τούτων ἐλάλησεν ἡμῖν ἐν υἱῷ, ὃν

ἔθηκεν κληρονόμον πάντων, δι' οὗ καὶ ἐποίησεν τοὺς αἰῶνας·

3 ὃς ὢν ἀπαύγασμα τῆς δόξης καὶ χαρακτὴρ τῆς ὑποστάσεως

αὐτοῦ, φέρων τε τὰ πάντα τῷ ῥήματι τῆς δυνάμεως αὐτοῦ,

καθαρισμὸν τῶν ἁμαρτιῶν ποιησάμενος ἐκάθισεν ἐν δεξιᾷ τῆς

μεγαλωσύνης ἐν ὑψηλοῖς,

4 τοσούτῳ κρείττων γενόμενος τῶν ἀγγέλων ὅσῳ

διαφορώτερον παρ' αὐτοὺς κεκληρονόμηκεν ὄνομα.

맛싸성경

1 오래전에 선지자들로 여러 번 또 다양한 방법으로 (우리) 아버지(조상)들에게 말씀하신 하나님께서 2 이 마지막 날들에 아들 안에서 우리에게 말씀하셨는데 하나님은 모든 것들의 상속자로 그분(예수)을 세우셨고 그분을 통하여 이 시대(세상)를 (만드셨으며 BYZ) 3 그분은 영광의 광휘(빛남)이시고 그분(하나님)의 실체의 나타나심이며 그분(예수)의 능력의 말씀으로 모든 것들을 붙드시고 죄(들)을 깨끗하게 하심을 행하시며 높은 곳에 계신 위엄 있는 (분의) 오른쪽 (보좌)에 앉으셨으니 4 (그분은) 천사들보다도 더 위대하시며 그들과 비교해서 더 탁월한 이름을 상속받으셨다.

NET

1 After God spoke long ago in various portions and in various ways to our ancestors through the prophets, 2 in these last days he has spoken to us in a son, whom he appointed heir of all things, and through whom he created the world. 3 The Son is the radiance of his glory and the representation of his essence, and he sustains all things by his powerful word, and so when he had accomplished cleansing for sins, he sat down at the right hand of the Majesty on high. 4 Thus he became so far better than the angels as he has inherited a name superior to theirs.

5 Τίνι γὰρ εἶπεν ποτε τῶν ἀγγέλων· Ὕιος μου ει συ, ἐγὼ

σήμερον γεγέννηκά σε; καὶ πάλιν, Ἐγὼ ἔσομαι αὐτῷ εἰς

πατέρα, καὶ αὐτὸς ἔσται μοι εἰς υἱόν;.

6 ὅταν δὲ πάλιν εἰσαγάγῃ τὸν πρωτότοκον εἰς τὴν οἰκουμένην,

λέγει, Καὶ προσκυνησάτωσαν αὐτῷ πάντες ἄγγελοι θεοῦ.

7 καὶ πρὸς μὲν τοὺς ἀγγέλους λέγει, Ὁ ποιῶν τοὺς ἀγγέλους

αὐτοῦ πνεύματα καὶ τοὺς λειτουργοὺς αὐτοῦ πυρὸς φλόγα,

8 πρὸς δὲ τὸν υἱόν, Ὁ θρόνος σου ὁ θεὸς εἰς τὸν αἰῶνα [τοῦ

αἰῶνος], καὶ ἡ ῥάβδος τῆς εὐθύτητος ῥάβδος τῆς βασιλείας

αὐτοῦ·

맛싸성경

5 그러므로 그분이 전에 천사들 중에 누구에게 말씀 하셨는가? "너는 내 아들이다. 오늘날 내가 너를 낳았 다." 그리고 다시 "나는 그에게 아버지가 될 것이고 그 는 나에게 아들이 될 것이다."(라고 말씀하셨는가?) 6 그러나 다시 그분(하나님)이 처음 나신 분(맏아들)을 (현존) 세상으로 들어오게 하셨을 때 그분이 말씀하신 다. "하나님의 모든 천사들로 그에게 경배하게 할 것 이라." 7 그리고 그분이 천사들에 대해서 "그분은 자 신의 천사들을 바람으로 또 자신의 섬기는 자들을 타 오르는 불로 만드신 분이시다."라고 말씀하시나 8 아 들에 대해서 "하나님이시여! 당신(주)의 보좌는 영원 무궁할 것이니 공정의 홀이 주의 왕국의 홀입니다.

NET

5 For to which of the angels did God ever say, "You are my son! Today I have fathered you"? And in another place he says, "I will be his father and he will be my son." 6 But when he again brings his firstborn into the world, he says, "Let all the angels of God worship him!" 7 And he says of the angels, "He makes his angels winds and his ministers a flame of fire," 8 but of the Son he says, "Your throne, O God, is forever and ever, and a righteous scepter is the scepter of your kingdom.

1 Westcott-Hort Greek NT

9 ἠγάπησας δικαιοσύνην καὶ ἐμίσησας ἀνομίαν· διὰ τοῦτο
ἔχρισεν σε ὁ θεὸς ὁ θεός σου ἔλαιον ἀγαλλιάσεως παρὰ τοὺς
μετόχους σου.

10 καί, Σὺ κατ' ἀρχάς, κύριε, τὴν γῆν ἐθεμελίωσας, καὶ ἔργα
τῶν χειρῶν σού εἰσιν οἱ οὐρανοί·

맛싸성경

9 당신(주)께서 의를 사랑하시고 불법을 미워하셨습니다. 이런 이유로 하나님 곧 주(아들)의 하나님께서 당신의 동료들보다 더한 기쁨의 (올리브) 기름을 부으셨습니다."라고 (말씀하신다). 10 그리고 "주님이시여! 당신이 처음부터 땅을 기초로 놓으셨고 하늘도 당신의 손들의 작품입니다.

NET

9 You have loved righteousness and hated lawlessness. So God, your God, has anointed you over your companions with the oil of rejoicing." 10 And, "You founded the earth in the beginning, Lord, and the heavens are the works of your hands.

1 Westcott-Hort Greek NT

11 αὐτοὶ ἀπολοῦνται, συ δὲ διαμένεις, καὶ πάντες ὡς ἱμάτιον

παλαιωθήσονται,

12 καὶ ὡσεὶ περιβόλαιον ἑλίξεις αὐτούς, ὡς ἱμάτιον καὶ

ἀλλαγήσονται· σὺ δὲ ὁ αὐτὸς εἶ καὶ τὰ ἔτη σου οὐκ

ἐκλείψουσιν.

13 πρὸς τίνα δὲ τῶν ἀγγέλων εἴρηκέν ποτε, Κάθου ἐκ δεξιῶν

μου, ἕως ἂν θῶ τοὺς ἐχθρούς σου ὑποπόδιον τῶν ποδῶν σου;.

14 οὐχὶ πάντες εἰσὶν λειτουργικὰ πνεύματα εἰς διακονίαν

ἀποστελλόμενα διὰ τοὺς μέλλοντας κληρονομεῖν σωτηρίαν;

맛싸성경

11 그것들은 멸할 것이나 당신(주)은 계속 계십니다 (영존하십니다). 모든 것들은 옷같이 낡아질 것이고 12 당신(주)께서 그것들을 의복같이 말아버리실 것이므로 그것들은 (ALX 옷같이) 변해질 것이나 주는 동일하시고 주의 연수는 끝나지 않을 것입니다." 13 그러나 그분이 전에 천사들 중에 누구에게 "내가 네 대적들을 네 발의 발판에 놓을 때까지 너는 내 오른편에 앉아라."라고 말씀하셨는가? 14 그(천사)들은 모든 섬기는 영들로 구원을 상속하려고 하는 자들을 위하여 봉사하라고 보냄 받은 것이 아니냐?

NET

11 They will perish, but you continue. And they will all grow old like a garment, 12 and like a robe you will fold them up and like a garment they will be changed, but you are the same and your years will never run out." 13 But to which of the angels has he ever said, "Sit at my right hand until I make your enemies a footstool for your feet"? 14 Are they not all ministering spirits, sent out to serve those who will inherit salvation?

2 Westcott-Hort Greek NT

1 Διὰ τοῦτο δεῖ περισσοτέρως προσέχειν ἡμᾶς τοῖς

ἀκουσθεῖσιν, μήποτε παραρυῶμεν.

2 εἰ γὰρ ὁ δι᾽ ἀγγέλων λαληθεὶς λόγος ἐγένετο βέβαιος καὶ

πᾶσα παράβασις καὶ παρακοὴ ἔλαβεν ἔνδικον μισθαποδοσίαν,

3 πῶς ἡμεῖς ἐκφευξόμεθα τηλικαύτης ἀμελήσαντες σωτηρίας,

ἥτις ἀρχὴν λαβοῦσα λαλεῖσθαι διὰ τοῦ κυρίου ὑπὸ τῶν

ἀκουσάντων εἰς ἡμᾶς ἐβεβαιώθη,

4 συνεπιμαρτυροῦντος τοῦ θεοῦ σημείοις τε καὶ τέρασιν καὶ

ποικίλαις δυνάμεσιν καὶ πνεύματος ἁγίου μερισμοῖς κατὰ τὴν

αὐτοῦ θέλησιν;.

맛싸성경

1 이런 이유로 특별히 우리는 들은 것에 주의하여 우리가 떠내려가지 않도록 해야 한다. 2 만일 천사들을 통하여 말해진 말씀도 확실하다면 모든 범죄와 불순종이 합당한 심판을 받았는데 3 우리가 이같이 중요한 구원을 등한히 하면 어떻게 (심판을) 피할 수 있을 것인가? 이것(구원)은 처음부터 주님을 통하여 말씀하여 받았던 것으로 들었던 자들에 의해서 우리에게 확실하게 된 것이니 4 하나님께서도 표적들과 기적들과 다양한 능력들과 성령의 나눠주신 것들로 그분의 뜻을 따라서 함께 증거하셨다 .

NET

1 Therefore we must pay closer attention to what we have heard, so that we do not drift away. 2 For if the message spoken through angels proved to be so firm that every violation or disobedience received its just penalty, 3 how will we escape if we neglect such a great salvation? It was first communicated through the Lord and was confirmed to us by those who heard him, 4 while God confirmed their witness with signs and wonders and various miracles and gifts of the Holy Spirit distributed according to his will.

2 | Westcott–Hort Greek NT

5 Οὐ γὰρ ἀγγέλοις ὑπέταξεν τὴν οἰκουμένην τὴν μέλλουσαν,

περὶ ἧς λαλοῦμεν.

맛싸성경	NET
5 이는 그분은 우리가 말하는 것에 대한 다가오는 (현존) 세상을 천사들에게만 복종하게 하신 것이 아니다.	5 For he did not put the world to come, about which we are speaking, under the control of angels.

6 διεμαρτύρατο δέ πού τις λέγων, Τί ἐστιν ἄνθρωπος ὅτι

μιμνήσκη αὐτοῦ, ἢ υἱὸς ἀνθρώπου ὅτι ἐπισκέπτῃ αὐτόν;.

7 ἠλάττωσας αὐτὸν βραχύ τι παρ' ἀγγέλους, δόξῃ καὶ τιμῇ

ἐστεφάνωσας αὐτόν, [καὶ κατέστησας αὐτὸν ἐπὶ τὰ ἔργα τῶν

χειρῶν σου,].

8 πάντα ὑπέταξας ὑποκάτω τῶν ποδῶν αὐτοῦ. ἐν τῷ γὰρ

ὑποτάξαι [αὐτῷ] τὰ πάντα οὐδὲν ἀφῆκεν αὐτῷ ἀνυπότακτον.

νῦν δὲ οὔπω ὁρῶμεν αὐτῷ τὰ πάντα ὑποτεταγμένα·

9 τὸν δὲ βραχύ τι παρ' ἀγγέλους ἠλαττωμένον, βλέπομεν

Ἰησοῦν διὰ τὸ πάθημα τοῦ θανάτου δόξῃ καὶ τιμῇ

ἐστεφανωμένον, ὅπως χάριτι θεοῦ ὑπὲρ παντὸς γεύσηται

θανάτου.

맛싸성경

6 그러나 어디에 혹자(누군)가 (이것에) 대하여 증거하여 말하였다. "사람이 무엇이기에 당신(주)이 그를 기억하시며 사람의 아들(인자)이 (무엇이기에) 당신이 그를 돌아보시나이까? 7 (주께서) 그를 잠시 동안 천사들에 비교해서 낮게 하셨고 영광과 존귀로 그에게 관을 씌우셨으며 8 그분의 발(들) 아래 모든 것들을 복종하게 하셨습니다." 그분이 모든 것들을 그에게 복종하게 하셨으니 그에게 복종하지 않은 것이 아무것도 없게 하셨으나 지금 우리는 모든 것들이 그에게 복종한 것을 아직 보지 못하였으나 9 우리가 예수를 보니 죽음의 고난을 인하여 천사들과 비교해서 잠시 동안 낮게 되었고 영광과 존귀로 관을 쓰고 계시니 그분은 하나님의 은혜로 모든 자들을 위하여 죽음을 경험하셨다.

NET

6 Instead someone testified somewhere: "What is man that you think of him or the son of man that you care for him? 7 You made him lower than the angels for a little while. You crowned him with glory and honor. 8 You put all things under his control." For when he put all things under his control, he left nothing outside of his control. At present we do not yet see all things under his control, 9 but we see Jesus, who was made lower than the angels for a little while, now crowned with glory and honor because he suffered death, so that by God's grace he would experience death on behalf of everyone.

2 Westcott-Hort Greek NT

10 Ἔπρεπεν γὰρ αὐτῷ, δι' ὃν τὰ πάντα καὶ δι' οὗ τὰ πάντα
πολλοὺς υἱοὺς εἰς δόξαν ἀγαγόντα τὸν ἀρχηγὸν τῆς σωτηρίας
αὐτῶν διὰ παθημάτων τελειῶσαι.

11 ὅ τε γὰρ ἁγιάζων καὶ οἱ ἁγιαζόμενοι ἐξ ἑνὸς πάντες· δι' ἣν
αἰτίαν οὐκ ἐπαισχύνεται ἀδελφοὺς αὐτοὺς καλεῖν.

12 λέγων· Ἀπαγγελῶ τὸ ὄνομα σου τοῖς ἀδελφοῖς μου, ἐν μέσῳ
ἐκκλησίας ὑμνήσω σε,

13 καὶ πάλιν· Ἐγὼ ἔσομαι πεποιθὼς ἐπ' αὐτῷ, καὶ πάλιν, Ἰδοὺ
ἐγὼ καὶ τὰ παιδία ἅ μοι ἔδωκεν ὁ θεός.

맛싸성경

10 그러므로 이것이 그분에게 합당하니 모든 것들(만물)이 그분을 인하여 있고 또한 모든 것들(만물)이 그분을 통하여 있으니 많은 아들들이 그들의 구원의 시작자로 영광을 위하여 인도함을 받아서 고난들을 통해서 완성되도록 (함이다). 11 그러므로 거룩하게 하시는 분(예수)과 거룩해진 자(그리스도인)들이 모두 하나(한 아버지)에서부터 나왔으니 이런 이유로 인하여 그분은 그들을 형제들이라고 부르는 것을 부끄러워하지 않으시고 12 말씀하시기를 "내가 당신(주)의 이름을 내 형제들에게 선포하며 회중(혹 교회) 가운데서 내가 당신(주)을 찬송할 것이라." (하셨다). 13 다시 (말씀하시기를) "내가 그분 안에서 확신할 것이라." (하시고) 다시 (말씀하시기를) "보아라, 나와 하나님(여호와)께서 내게 주신 자녀들이다." (하셨다).

NET

10 For it was fitting for him, for whom and through whom all things exist, in bringing many sons to glory, to make the pioneer of their salvation perfect through sufferings. 11 For indeed he who makes holy and those being made holy all have the same origin, and so he is not ashamed to call them brothers and sisters, 12 saying, "I will proclaim your name to my brothers; in the midst of the assembly I will praise you." 13 Again he says, "I will be confident in him," and again, "Here I am, with the children God has given me."

14 ἐπεὶ οὖν τὰ παιδία κεκοινώνηκεν αἵματος καὶ σαρκός, καὶ αὐτὸς παραπλησίως μετέσχεν τῶν αὐτῶν, ἵνα διὰ τοῦ θανάτου καταργήσῃ τὸν τὸ κράτος ἔχοντα τοῦ θανάτου τουτ' ἔστιν τὸν διάβολον,

15 καὶ ἀπαλλάξῃ τούτους, ὅσοι φόβῳ θανάτου διὰ παντὸς τοῦ ζῆν ἔνοχοι ἦσαν δουλείας.

16 οὐ γὰρ δήπου ἀγγέλων ἐπιλαμβάνεται ἀλλὰ σπέρματος Ἀβραὰμ ἐπιλαμβάνεται.

맛싸성경

14 그러므로 자녀들은 피와 살을 공유한 것같이 그분 자신도 그렇게 같은 것들을 공유하셨고 죽음을 통하여 죽음의 권세를 가진 자 곧 마귀를 멸하시려는 것이며 15 또 죽음의 두려움으로 평생 동안에 종살이에 매여 있는 그들을 놓아주려(해방하려) 하심이다. 16 그러므로 확실히 천사들을 붙들어 주려 하시는 것이 아니고 아브라함의 씨(자손)를 붙들어 주려는 것이다.

NET

14 Therefore, since the children share in flesh and blood, he likewise shared in their humanity, so that through death he could destroy the one who holds the power of death (that is, the devil), 15 and set free those who were held in slavery all their lives by their fear of death. 16 For surely his concern is not for angels, but he is concerned for Abraham's descendants.

17 ὅθεν ὤφειλεν κατὰ πάντα τοῖς ἀδελφοῖς ὁμοιωθῆναι, ἵνα

ἐλεήμων γένηται καὶ πιστὸς ἀρχιερεὺς τὰ πρὸς τὸν θεὸν εἰς τὸ

ἱλάσκεσθαι τὰς ἁμαρτίας τοῦ λαοῦ.

18 ἐν ᾧ γὰρ πέπονθεν αὐτὸς πειρασθείς, δύναται τοῖς

πειραζομένοις βοηθῆσαι.

맛싸성경

17 그러므로 그분은 모든 것들을 따라서 형제들과 같이 되신 것이 합당하니 이는 그분은 하나님을 위한 일들에 긍휼히 여기시며 신실하신 대성직자로 백성들의 죄들을 속죄하려 하심이었다. 18 그러므로(그 안에서) 그분 자신이 시험을 받으셔서 고난당하셨으므로 시험을 받는 자들을 도우실 수 있으시다.

NET

17 Therefore he had to be made like his brothers and sisters in every respect, so that he could become a merciful and faithful high priest in things relating to God, to make atonement for the sins of the people. 18 For since he himself suffered when he was tempted, he is able to help those who are tempted.

3 Westcott-Hort Greek NT

1 Ὅθεν, ἀδελφοὶ ἅγιοι, κλήσεως ἐπουρανίου μέτοχοι

κατανοήσατε τὸν ἀπόστολον καὶ ἀρχιερέα τῆς ὁμολογίας ἡμῶν

Ἰησοῦν,

2 πιστὸν ὄντα τῷ ποιήσαντι αὐτὸν ὡς καὶ Μωϋσῆς ἐν [ὅλῳ] τῷ

οἴκῳ αὐτοῦ.

3 πλείονος γὰρ οὗτος δόξης παρὰ Μωϋσῆν ἠξίωται, καθ' ὅσον

πλείονα τιμὴν ἔχει τοῦ οἴκου ὁ κατασκευάσας αὐτόν·

맛싸성경

1 그러므로 하늘의 부르심에 참여한 거룩한 형제들아, 사도이시고 우리의 고백이신 대성직자이신 예수(BYZ 그리스도)를 (깊이) 생각하라. 2 그분(예수)은 자신을 사역하게 하신 분께 신실하셨으니 모세가 그분(하나님)의 (BYZ 모든) 집에서 한 것과 같았다. 3 이는 이분(예수)은 모세에 비해서 더 영광스러운 가치를 가지셨으니 집을 지은 자가 그 집 보다(에 비례해서) 더 많은 존귀함을 가지기 때문이다.

NET

1 Therefore, holy brothers and sisters, partners in a heavenly calling, take note of Jesus, the apostle and high priest whom we confess, 2 who is faithful to the one who appointed him, as Moses was also in God's house. 3 For he has come to deserve greater glory than Moses, just as the builder of a house deserves greater honor than the house itself!

3 Westcott-Hort Greek NT

4 πᾶς γὰρ οἶκος κατασκευάζεται ὑπό τινος, ὁ δὲ πάντα

κατασκευάσας θεός.

5 καὶ Μωϋσῆς μὲν πιστὸς ἐν ὅλῳ τῷ οἴκῳ αὐτοῦ ὡς θεράπων εἰς

μαρτύριον τῶν λαληθησομένων,

6 Χριστὸς δὲ ὡς υἱὸς ἐπὶ τὸν οἶκον αὐτοῦ· οὗ οἶκος ἐσμεν ἡμεῖς

ἐὰν τὴν παρρησίαν καὶ τὸ καύχημα τῆς ἐλπίδος [μέχρι τέλους

βεβαίαν] κατάσχωμεν.

맛싸성경

4 이는 모든 집은 어떤 사람에 의해서 지어지나 그분은 모든 것들을 지으신 하나님이시다. 5 또 모세는 종 같이 말해진(예언해진) 것들의 증거를 위하여 그분의 모든 집에서 신실한 자였으나 6 그리스도는 그분(하나님)의 집에 대하여 아들 같으셨고 우리 자신들은 그분의 집이니 단지(만일) 우리가 확신과 소망의 자부심을 (BYZ 끝날때까지 확실하게) 잘 붙잡기만 하면 된다.

NET

4 For every house is built by someone, but the builder of all things is God. 5 Now Moses was faithful in all God's house as a servant, to testify to the things that would be spoken. 6 But Christ is faithful as a son over God's house. We are of his house, if in fact we hold firmly to our confidence and the hope we take pride in.

7 Διό, καθὼς λέγει τὸ πνεῦμα τὸ ἅγιον, Σήμερον ἐὰν τῆς φωνῆς αὐτοῦ ἀκούσητε,

8 μὴ σκληρύνητε τὰς καρδίας ὑμῶν ὡς ἐν τῷ παραπικρασμῷ κατὰ τὴν ἡμέραν τοῦ πειρασμοῦ ἐν τῇ ἐρήμῳ,

9 οὗ ἐπείρασαν οἱ πατέρες ὑμῶν ἐν δοκιμασίᾳ καὶ εἶδον τὰ ἔργα μου.

10 τεσσεράκοντα ἔτη· διὸ προσώχθισα τῇ γενεᾷ ταύτῃ καὶ εἶπον. Ἀεὶ πλανῶνται τῇ καρδίᾳ αὐτοὶ δὲ οὐκ ἔγνωσαν τὰς ὁδούς μου,

11 ὡς ὤμοσα ἐν τῇ ὀργῇ μου· Εἰ εἰσελεύσονται εἰς τὴν κατάπαυσίν μου.

맛싸성경

7 그러므로 성령이 이같이 말씀하신다. "오늘날 너희가 그분의 음성을 들으면 8 너희는 너희 마음을 반역함같이 곧 광야에서 시험하던 날들같이 완고하게 하지 마라. 9 그때 너희 아버지(조상)들이 나를 시험하였고 나를 검증했으며 또 (BYZ 40 년간) 나의 일들을 보았으므로 10 내가 그 세대에 진노하여 말하였다. '그들은 항상 마음이 미혹 당하였고 나의 길들을 알지 못했다.' 11 나의 진노로 맹세한 것같이 '그들은 내 안식으로 들어오지 못한다(들어오겠는가?).'"

NET

7 Therefore, as the Holy Spirit says, "Oh, that today you would listen as he speaks! 8 Do not harden your hearts as in the rebellion, in the day of testing in the wilderness. 9 There your fathers tested me and tried me, and they saw my works for forty years. 10 Therefore, I became provoked at that generation and said, 'Their hearts are always wandering, and they have not known my ways.' 11 As I swore in my anger, 'They will never enter my rest!'"

3 Westcott-Hort Greek NT

12 Βλέπετε, ἀδελφοί, μήποτε ἔσται ἔν τινι ὑμῶν καρδία πονηρὰ

ἀπιστίας ἐν τῷ ἀποστῆναι ἀπὸ θεοῦ ζῶντος,

13 ἀλλὰ παρακαλεῖτε ἑαυτοὺς καθ' ἑκάστην ἡμέραν, ἄχρις οὗ τὸ

Σήμερον καλεῖται, ἵνα μὴ σκληρυνθῇ τις ἐξ ὑμῶν ἀπάτῃ τῆς

ἁμαρτίας

14 μέτοχοι γὰρ τοῦ Χριστοῦ γεγόναμεν, ἐάνπερ τὴν ἀρχὴν τῆς

ὑποστάσεως μέχρι τέλους βεβαίαν κατάσχωμεν

15 ἐν τῷ λέγεσθαι, Σήμερον ἐὰν τῆς φωνῆς αὐτοῦ ἀκούσητε, Μὴ

σκληρύνητε τὰς καρδίας ὑμῶν ὡς ἐν τῷ παραπικρασμῷ.

맛싸성경

12 형제들아, 주의하여 살아계신 하나님께로부터 떨어져 너희 중에 누구도 악한 불신앙의 마음을 가지지 않도록 하고 13 오히려 오늘이라고 불리는 동안에도 각자 날마다 권면하여 너희 중에 어떤 자도 죄의 속임으로 완고하게 하지 않도록 하리니 14 이는 우리는 그리스도의 참여한 자들이 되었으니 만일 우리가 본질의 시작을 확실히 마지막까지 굳게 붙잡기만 하면 되기 때문에 15 이같이 말씀하셨다. "만일 오늘 너희가 그분의 음성을 들으면 반역함같이 너희 마음들을 완고하게 하지 않도록 하여라."

NET

12 See to it, brothers and sisters, that none of you has an evil, unbelieving heart that forsakes the living God. 13 But exhort one another each day, as long as it is called "Today," that none of you may become hardened by sin's deception. 14 For we have become partners with Christ, if in fact we hold our initial confidence firm until the end. 15 As it says, "Oh, that today you would listen as he speaks! Do not harden your hearts as in the rebellion."

16 τίνες γὰρ ἀκούσαντες παρεπίκραναν; ἀλλ' οὐ πάντες οἱ ἐξελθόντες ἐξ Αἰγύπτου διὰ Μωϋσέως;.

17 τίσιν δὲ προσώχθισεν τεσσεράκοντα ἔτη; οὐχὶ τοῖς ἁμαρτήσασιν, ὧν τὰ κῶλα ἔπεσεν ἐν τῇ ἐρήμῳ;.

18 τίσιν δὲ ὤμοσεν μὴ εἰσελεύσεσθαι εἰς τὴν κατάπαυσιν αὐτοῦ εἰ μὴ τοῖς ἀπειθήσασιν;.

19 καὶ βλέπομεν ὅτι οὐκ ἠδυνήθησαν εἰσελθεῖν δι' ἀπιστίαν.

맛싸성경

16 그런데 그들이 듣고서 몇몇 사람이 (그분을) 반역하지 않았느냐? 오히려 그들 모두는 모세를 통하여 이집트에서부터 나온 자들이 아니냐? 17 또 그분이 40년 동안 누구에게 진노하셨느냐? 죄를 지은 자들에게가 아니며 광야에서 시체들로 쓰러진 자들이 (아니냐?) 18 그러나 그분이 누구에게 맹세하시어 자신의 안식으로 들어오지 못하게 하셨느냐? 불순종한자들에게가 아니냐? 19 그래서 우리는 그들이 불신앙으로 인하여 들어갈 수 없었다는 것을 본다.

NET

16 For which ones heard and rebelled? Was it not all who came out of Egypt under Moses' leadership? 17 And against whom was God provoked for forty years? Was it not those who sinned, whose dead bodies fell in the wilderness? 18 And to whom did he swear they would never enter into his rest, except those who were disobedient? 19 So we see that they could not enter because of unbelief.

4 Westcott-Hort Greek NT

1 Φοβηθῶμεν οὖν, μήποτε καταλειπομένης ἐπαγγελίας εἰσελθεῖν εἰς τὴν κατάπαυσιν αὐτοῦ δοκῇ τις ἐξ ὑμῶν ὑστερηκέναι.

2 καὶ γάρ ἐσμεν εὐηγγελισμένοι καθάπερ κἀκεῖνοι· ἀλλ᾽ οὐκ ὠφέλησεν ὁ λόγος τῆς ἀκοῆς ἐκείνους μὴ συγκεκερασμένους τῇ πίστει τοῖς ἀκούσασιν.

3 εἰσερχόμεθα γὰρ εἰς [τὴν] κατάπαυσιν οἱ πιστεύσαντες, καθὼς εἴρηκεν· Ὡς ὤμοσα ἐν τῇ ὀργῇ μου· Εἰ εἰσελεύσονται εἰς τὴν κατάπαυσιν μου, καίτοι τῶν ἔργων ἀπὸ καταβολῆς κόσμου γενηθέντων.

맛싸성경

1 그러므로 그분의 안식으로 들어가는 약속이 열려(남아) 있어도 우리는 두려워하며 너희 중에서 아무도 제외되지 않도록 하자. 2 이는 우리도 그들같이 복음을 전해 받은 자들이나 그들에게는 들은 말씀이 유익이 되지 못하였으니 그들이 들었던 믿음으로 그들은 연합되지 않았기 때문이다. 3 그러므로 믿은 자들인 우리는 안식으로 들어간다. 그분은 이같이 말씀하셨다. "나의 진노로 맹세한 것같이 그들은 내 안식으로 들어오지 못한다(들어오겠는가?)." 그런데도 세상의 시작으로부터 사역(그분의 일)들이 마쳐졌다.

NET

1 Therefore we must be wary that, while the promise of entering his rest remains open, none of you may seem to have come short of it. 2 For we had good news proclaimed to us just as they did. But the message they heard did them no good, since they did not join in with those who heard it in faith. 3 For we who have believed enter that rest, as he has said, "As I swore in my anger, 'They will never enter my rest!'" And yet God's works were accomplished from the foundation of the world.

4 εἴρηκεν γάρ που περὶ τῆς ἑβδόμης οὕτως· καὶ κατέπαυσεν ὁ

θεὸς ἐν τῇ ἡμέρᾳ τῇ ἑβδόμῃ ἀπὸ πάντων τῶν ἔργων αὐτοῦ,

5 καὶ ἐν τούτῳ πάλιν· Εἰ εἰσελεύσονται εἰς τὴν κατάπαυσιν

μου.

6 ἐπεὶ οὖν ἀπολείπεται τινὰς εἰσελθεῖν εἰς αὐτήν καὶ οἱ

πρότερον εὐαγγελισθέντες οὐκ εἰσῆλθον δι' ἀπείθειαν,

7 πάλιν τινὰ ὁρίζει ἡμέραν, Σήμερον, ἐν Δαυὶδ λέγων μετὰ

τοσοῦτον χρόνον, καθὼς προείρηται, Σήμερον ἐὰν τῆς φωνῆς

αὐτοῦ ἀκούσητε μὴ σκληρύνητε τὰς καρδίας ὑμῶν.

8 εἰ γὰρ αὐτοὺς Ἰησοῦς κατέπαυσεν, οὐκ ἂν περὶ ἄλλης ἐλάλει

μετὰ ταῦτα ἡμέρας.

맛싸성경

4 이같이 그분이 일곱 번째 (날)에 대해서 어느 곳에 이렇게 말씀하셨으니 "하나님은 그분의 모든 사역(일)으로부터 일곱 번째 (날)에 또한 안식하셨다." 5 그리고 여기서 다시 "그들은 내 안식으로 들어오지 못한다 (들어오겠는가?)."(라고 말씀하셨다). 6 그러므로 몇몇 사람들이 그곳(안식)으로 들어가는 것이 남아 있음에도 전에 복음을 들은 자들은 불순종함을 인하여 들어가지 못했으며 7 다시 그분이 어떤 날에 대해서 '오늘' (이라고) 밝혀서 많은 시간 후에 다윗으로 이같이 말씀하셨다. "오늘 만일 너희가 그분의 음성을 들으면 너희 마음들을 완고하게 하지 않도록 하여라." 8 이는 만일 여호수아가 그들에게 안식하게 하였다면 그분이 이날들 후에 다른 (날)에 대해서 말씀하지 않으셨을 것이다.

NET

4 For he has spoken somewhere about the seventh day in this way: "And God rested on the seventh day from all his works," 5 but to repeat the text cited earlier: "They will never enter my rest!" 6 Therefore it remains for some to enter it, yet those to whom it was previously proclaimed did not enter because of disobedience. 7 So God again ordains a certain day, "Today," speaking through David after so long a time, as in the words quoted before, "Oh, that today you would listen as he speaks! Do not harden your hearts." 8 For if Joshua had given them rest, God would not have spoken afterward about another day.

9 ἄρα ἀπολείπεται σαββατισμὸς τῷ λαῷ τοῦ θεοῦ.

10 ὁ γὰρ εἰσελθὼν εἰς τὴν κατάπαυσιν αὐτοῦ καὶ αὐτὸς

κατέπαυσεν ἀπὸ τῶν ἔργων αὐτοῦ ὥσπερ ἀπὸ τῶν ἰδίων ὁ θεός.

11 σπουδάσωμεν οὖν εἰσελθεῖν εἰς ἐκείνην τὴν κατάπαυσιν,

ἵνα μὴ ἐν τῷ αὐτῷ τις ὑποδείγματι πέσῃ τῆς ἀπειθείας.

12 Ζῶν γὰρ ὁ λόγος τοῦ θεοῦ καὶ ἐνεργὴς καὶ τομώτερος ὑπὲρ

πᾶσαν μάχαιραν δίστομον καὶ διϊκνούμενος ἄχρι μερισμοῦ

ψυχῆς καὶ πνεύματος, ἁρμῶν τε καὶ μυελῶν, καὶ κριτικὸς

ἐνθυμήσεων καὶ ἐννοιῶν καρδίας·

13 καὶ οὐκ ἔστιν κτίσις ἀφανὴς ἐνώπιον αὐτοῦ, πάντα δὲ

γυμνὰ καὶ τετραχηλισμένα τοῖς ὀφθαλμοῖς αὐτοῦ, πρὸς ὃν

ἡμῖν ὁ λόγος.

맛싸성경

9 그러므로 하나님의 백성에게는 안식할 날이 남겨져 있다. 10 왜냐하면 그분의 안식으로 들어간 자는 하나님이 자신으로부터 하신 것같이(쉬셨던 것같이) 그분의 모든 사역(일)들로부터 그분 자신(의 것)에서부터 안식한다. 11 그러므로 우리는 그 안식으로 들어가도록 힘쓸 것이니 어떤 사람도 불순종함으로 같은 본보기에 넘어지지 않게 하려 함이다. 12 하나님의 말씀은 살아있고 역사하시니 양날의 모든(어떤) 검보다 훨씬 날카로워서 영혼과 영과 관절들과 골수들을 나누기까지 관통하며 마음의 생각들과 의도들을 판단하니 13 어떤 피조물도 그분 앞에서 숨겨질 수 없고 오히려 모든 것들은 그분의 눈들에 드러나고 벗겨지니 그분께는 우리도 계산을 해야 한다(판단을 받아야 한다).

NET

9 Consequently a Sabbath rest remains for the people of God. 10 For the one who enters God's rest has also rested from his works, just as God did from his own works. 11 Thus we must make every effort to enter that rest, so that no one may fall by following the same pattern of disobedience. 12 For the word of God is living and active and sharper than any double-edged sword, piercing even to the point of dividing soul from spirit, and joints from marrow; it is able to judge the desires and thoughts of the heart. 13 And no creature is hidden from God, but everything is naked and exposed to the eyes of him to whom we must render an account.

4 Westcott-Hort Greek NT

14 Ἔχοντες οὖν ἀρχιερέα μέγαν διεληλυθότα τοὺς οὐρανούς,

Ἰησοῦν τὸν υἱὸν τοῦ θεοῦ, κρατῶμεν τῆς ὁμολογίας.

15 οὐ γὰρ ἔχομεν ἀρχιερέα μὴ δυνάμενον συμπαθῆσαι ταῖς

ἀσθενείαις ἡμῶν, πεπειρασμένον δὲ κατὰ πάντα καθ' ὁμοιότητα

χωρὶς ἁμαρτίας.

16 προσερχώμεθα οὖν μετὰ παρρησίας τῷ θρόνῳ τῆς χάριτος,

ἵνα λάβωμεν ἔλεος καὶ χάριν εὕρωμεν εἰς εὔκαιρον βοήθειαν.

맛싸성경

14 그러므로 우리는 하늘(들)로 통과하신 위대하신 대성직자가 계시니 (곧) 하나님의 아들 예수이시며 우리는 고백을 굳게 잡아야 한다. 15 이는 우리는 우리의 약함들을 같이 공감하지 못하시는 대성직자를 가진 것이 아니요 모든 것을 따라서(모든 점에서) 동질성을 통하여(우리와 마찬가지로) 시험을 받으신 분이시나 (그분은) 죄는 없으시기 때문이다. 16 그러므로 우리는 은혜의 보좌로 담대함으로 나아가서 (우리가) 긍휼함을 받고 필요한 때에 도우시는 은혜를 입자.

NET

14 Therefore since we have a great high priest who has passed through the heavens, Jesus the Son of God, let us hold fast to our confession. 15 For we do not have a high priest incapable of sympathizing with our weaknesses, but one who has been tempted in every way just as we are, yet without sin. 16 Therefore let us confidently approach the throne of grace to receive mercy and find grace whenever we need help.

5 Westcott-Hort Greek NT

1 Πᾶς γὰρ ἀρχιερεὺς ἐξ ἀνθρώπων λαμβανόμενος ὑπὲρ ἀνθρώπων καθίσταται τὰ πρὸς τὸν θεόν, ἵνα προσφέρῃ δῶρα [τε] καὶ θυσίας ὑπὲρ ἁμαρτιῶν,

2 μετριοπαθεῖν δυνάμενος τοῖς ἀγνοοῦσιν καὶ πλανωμένοις, ἐπεὶ καὶ αὐτὸς περίκειται ἀσθένειαν.

3 καὶ δι᾽ αὐτὴν ὀφείλει, καθὼς περὶ τοῦ λαοῦ, οὕτως καὶ περὶ ἑαυτοῦ προσφέρειν περὶ ἁμαρτιῶν.

4 καὶ οὐχ ἑαυτῷ τις λαμβάνει τὴν τιμὴν ἀλλὰ καλούμενος ὑπὸ τοῦ θεοῦ καθώσπερ καὶ Ἀαρών.

맛싸성경

1 이는 모든 대성직자는 사람들 중에서부터 취하여져서 하나님에 관한 것들에 대해서 사람들을 위하여 임명받았으니 그는 예물과 죄들을 위한 제물들을 드리도록 함이고 2 그가 무지한 자들과 미혹당하는 자들도 따뜻하게 대하실 수 있는 것은 그 자신도 연약함에 처해 있기 때문이며 3 이로 인하여 그는 백성들에 대해서뿐 아니라 자신에 대해서도 죄들을 위하여 드리는 것이 마땅하다. 4 또 어떤 사람도 이 존귀는 자신에게 취하지 못하나 아론과 같이 하나님에 의하여 부르심을 입은 자라야 한다.

NET

1 For every high priest is taken from among the people and appointed to represent them before God, to offer both gifts and sacrifices for sins. 2 He is able to deal compassionately with those who are ignorant and erring, since he also is subject to weakness, 3 and for this reason he is obligated to make sin offerings for himself as well as for the people. 4 And no one assumes this honor on his own initiative, but only when called to it by God, as in fact Aaron was.

5 Οὕτως καὶ ὁ Χριστὸς οὐχ ἑαυτὸν ἐδόξασεν γενηθῆναι ἀρχιερέα ἀλλ' ὁ λαλήσας πρὸς αὐτόν, Ὑιος μου εἶ συ, ἐγὼ σήμερον γεγέννηκά σε·

6 καθὼς καὶ ἐν ἑτέρῳ λέγει, Σὺ ἱερεὺς εἰς τὸν αἰῶνα κατὰ τὴν τάξιν Μελχισέδεκ,

7 ὃς ἐν ταῖς ἡμέραις τῆς σαρκὸς αὐτοῦ δεήσεις τε καὶ ἱκετηρίας πρὸς τὸν δυνάμενον σῴζειν αὐτὸν ἐκ θανάτου μετὰ κραυγῆς ἰσχυρᾶς καὶ δακρύων προσενέγκας καὶ εἰσακουσθεὶς ἀπὸ τῆς εὐλαβείας,

8 καίπερ ὢν υἱός, ἔμαθεν ἀφ' ὧν ἔπαθεν τὴν ὑπακοήν,

9 καὶ τελειωθεὶς ἐγένετο πᾶσιν τοῖς ὑπακούουσιν αὐτῷ αἴτιος σωτηρίας αἰωνίου,

10 προσαγορευθεὶς ὑπὸ τοῦ θεοῦ ἀρχιερεὺς κατὰ τὴν τάξιν Μελχισέδεκ.

맛싸성경

5 이같이 그리스도께서도 대성직자가 되어지는 것을 스스로 영광스럽게 하신 것이 아니라 그분에 대하여 "너는 내 아들이다. 오늘 내가 너를 낳았다."라고 말씀하신 분으로 한 것이다. 6 이같이 또 다른 곳에서 그분이 말씀하셨다. "너는 멜기세덱의 계열을 따른 영원한 성직자이다." 7 그분은 자신의 육체의 날들에서 간청과 중보를 죽음에서부터 능히 구원하실 수 있는 분께 큰 부르짖음과 눈물과 함께 드리셨고 (그분의) 경외함으로부터 응답받아지셨으며 8 그분이 아들이었음에도 그분은 고난을 당하여 순종을 배우셨고 9 그분은 온전하게 되셨으며 그분에게 순종하는 모든 자들에게 영원한 구원의 근원이 되셨고 10 하나님에 의하여 멜기세덱의 계열을 따른 대성직자로 불리셨다.

NET

5 So also Christ did not glorify himself in becoming high priest, but the one who glorified him was God, who said to him, "You are my Son! Today I have fathered you," 6 as also in another place God says, "You are a priest forever in the order of Melchizedek." 7 During his earthly life Christ offered both requests and supplications, with loud cries and tears, to the one who was able to save him from death, and he was heard because of his devotion. 8 Although he was a son, he learned obedience through the things he suffered. 9 And by being perfected in this way, he became the source of eternal salvation to all who obey him, 10 and he was designated by God as high priest in the order of Melchizedek.

11 Περὶ οὗ πολὺς ἡμῖν ὁ λόγος καὶ δυσερμήνευτος λέγειν, ἐπεὶ νωθροὶ γεγόνατε ταῖς ἀκοαῖς.

12 καὶ γὰρ ὀφείλοντες εἶναι διδάσκαλοι διὰ τὸν χρόνον, πάλιν χρείαν ἔχετε τοῦ διδάσκειν ὑμᾶς τινὰ τὰ στοιχεῖα τῆς ἀρχῆς τῶν λογίων τοῦ θεοῦ καὶ γεγόνατε χρείαν ἔχοντες γάλακτος οὐ στερεᾶς τροφῆς.

13 πᾶς γὰρ ὁ μετέχων γάλακτος ἄπειρος λόγου δικαιοσύνης, νήπιος γάρ ἐστιν·

14 τελείων δέ ἐστιν ἡ στερεὰ τροφή, τῶν διὰ τὴν ἕξιν τὰ αἰσθητήρια γεγυμνασμένα ἐχόντων πρὸς διάκρισιν καλοῦ τε καὶ κακοῦ.

맛싸성경

11 그(멜기세덱)에 대해서는 우리가 말할 것이 많이 있으나 설명하기 어려우니 너희가 듣는 것들이 둔하기 때문이다. 12 그러므로 이번에 너희가 선생들이 되는 것이 마땅하나 다시 너희는 하나님의 말씀들의 시작의 기초들에 대해서 가르침을 받아야 하니 젖을 가져야(먹어야) 할 필요를 가지나 단단한 음식은 아니다. 13 젖에 참여한(젖을 먹는) 자마다 의의 말씀에 익숙한 자가 아니니 이는 그가 어린아이이기 때문이다. 14 그러나 단단한 음식은 훈련된 온전한 자(성숙한 자)의 것으로 선과 악을 판단하도록 숙련된 감각기관을 가지고 있는 자들을 위한 것이다.

NET

11 On this topic we have much to say, and it is difficult to explain, since you have become sluggish in hearing. 12 For though you should in fact be teachers by this time, you need someone to teach you the beginning elements of God's utterances. You have gone back to needing milk, not solid food. 13 For everyone who lives on milk is inexperienced in the message of righteousness because he is an infant. 14 But solid food is for the mature, whose perceptions are trained by practice to discern both good and evil.

6 | Westcott-Hort Greek NT

1 Διὸ ἀφέντες τὸν τῆς ἀρχῆς τοῦ Χριστοῦ λόγον ἐπὶ τὴν

τελειότητα φερώμεθα, μὴ πάλιν θεμέλιον καταβαλλόμενοι

μετανοίας ἀπὸ νεκρῶν ἔργων καὶ πίστεως ἐπὶ θεὸν,

2 βαπτισμῶν διδαχὴν ἐπιθέσεώς τε χειρῶν ἀναστάσεως

νεκρῶν καὶ κρίματος αἰωνίου.

3 καὶ τοῦτο ποιήσομεν, ἐάνπερ ἐπιτρέπῃ ὁ θεός.

맛싸성경

1 그러므로 (우리가) 그리스도의 초보의 가르침(말씀)을 버리고 온전함(완전함)으로 나아가자. 다시는 기초를 하지(놓지) 말 것이니 죽은 행위들로부터 회개와 하나님을 향한 믿음과 2 정결(세례) 의식(들)의 가르침과 손들의 내려놓음(안수)과 죽은 자들의 부활과 영원한 심판 같은 것이라. 3 만일 하나님이 허락하시면 또한 우리가 이것을 행할 것이라.

NET

1 Therefore we must progress beyond the elementary instructions about Christ and move on to maturity, not laying this foundation again: repentance from dead works and faith in God, 2 teaching about ritual washings, laying on of hands, resurrection of the dead, and eternal judgment. 3 And this is what we intend to do, if God permits.

6 Westcott-Hort Greek NT

4 Ἀδύνατον γὰρ τοὺς ἅπαξ φωτισθέντας, γευσαμένους τε τῆς δωρεᾶς τῆς ἐπουρανίου καὶ μετόχους γενηθέντας πνεύματος ἁγίου.

5 καὶ καλὸν γευσαμένους θεοῦ ῥῆμα δυνάμεις τε μέλλοντος αἰῶνος.

6 καὶ παραπεσόντας πάλιν ἀνακαινίζειν εἰς μετάνοιαν, ἀνασταυροῦντας ἑαυτοῖς τὸν υἱὸν τοῦ θεοῦ καὶ παραδειγματίζοντας.

7 γῆ γὰρ ἡ πιοῦσα τὸν ἐπ' αὐτῆς ἐρχόμενον πολλάκις ὑετὸν καὶ τίκτουσα βοτάνην εὔθετον ἐκείνοις δι' οὓς καὶ γεωργεῖται μεταλαμβάνει εὐλογίας ἀπὸ τοῦ θεοῦ·

8 ἐκφέρουσα δὲ ἀκάνθας καὶ τριβόλους, ἀδόκιμος καὶ κατάρας ἐγγύς, ἧς τὸ τέλος εἰς καῦσιν.

맛싸성경

4 그러므로 불가능한 것은 한번 빛을 받고 하늘의 은사를 맛본 자들과 성령의 동참자가 되어진 자들과 5 또한 장차 오는 세대의 능력으로 하나님의 선한 말씀을 맛본 자들이 6 배교하는 것이니 (배교한 자들은) 회개로 다시 회복(새롭게)할 수 없고 하나님의 아들을 그들을 위해 다시 못 박으며 경멸하는 것이다. 7 이는 땅이 그 위에 자주 내리는 비를 흡수하여 길러내는 그들에게 (땅이) 유용한 식물을 생산하면 하나님께로부터 복을 받지만 8 만일 가시들과 엉겅퀴들을 산출하면 쓸모없고 저주가 임하며 그것의 마지막은 불태워지기 때문이다.

NET

4 For it is impossible in the case of those who have once been enlightened, tasted the heavenly gift, become partakers of the Holy Spirit, 5 tasted the good word of God and the miracles of the coming age, 6 and then have committed apostasy, to renew them again to repentance, since they are crucifying the Son of God for themselves all over again and holding him up to contempt. 7 For the ground that has soaked up the rain that frequently falls on it and yields useful vegetation for those who tend it receives a blessing from God. 8 But if it produces thorns and thistles, it is useless and about to be cursed; its fate is to be burned.

9 Πεπείσμεθα δὲ περὶ ὑμῶν, ἀγαπητοί, τὰ κρείσσονα καὶ ἐχόμενα σωτηρίας, εἰ καὶ οὕτως λαλοῦμεν.

10 οὐ γὰρ ἄδικος ὁ θεὸς ἐπιλαθέσθαι τοῦ ἔργου ὑμῶν καὶ τῆς ἀγάπης ἧς ἐνεδείξασθε εἰς τὸ ὄνομα αὐτοῦ, διακονήσαντες τοῖς ἁγίοις καὶ διακονοῦντες.

11 ἐπιθυμοῦμεν δὲ ἕκαστον ὑμῶν τὴν αὐτὴν ἐνδείκνυσθαι σπουδὴν πρὸς τὴν πληροφορίαν τῆς ἐλπίδος ἄχρι τέλους,

12 ἵνα μὴ νωθροὶ γένησθε, μιμηταὶ δὲ τῶν διὰ πίστεως καὶ μακροθυμίας κληρονομούντων τὰς ἐπαγγελίας.

맛싸성경

9 그러나 사랑하는 자들아, 우리가 비록 이같이 말하고 있으나 우리가 너희에 대하여 더 좋은 것들인 구원에 속한 것들을 확신한다. 10 하나님은 불의하지 않으셔서 너희 행위와 그분의 이름으로 보여준 사랑과 성도들에게 봉사한 것과 봉사하는 것들을 잊지 않으신다. 11 우리가 간절히 원하는 것은 너희 각자가 마지막까지 소망의 가득 찬 확신으로 향한 같은 열심을 보여주는 것이니 12 너희가 게으른 자가 되지 않고 믿음과 인내를 통하여 그 약속들을 상속받는 자들의 닮는 자들이 되게 함이다.

NET

9 But in your case, dear friends, even though we speak like this, we are convinced of better things relating to salvation. 10 For God is not unjust so as to forget your work and the love you have demonstrated for his name, in having served and continuing to serve the saints. 11 But we passionately want each of you to demonstrate the same eagerness for the fulfillment of your hope until the end, 12 so that you may not be sluggish, but imitators of those who through faith and perseverance inherit the promises.

13 Τῷ γὰρ Ἀβραὰμ ἐπαγγειλάμενος ὁ θεός, ἐπεὶ κατ' οὐδενὸς εἶχεν μείζονος ὀμόσαι, ὤμοσεν καθ' ἑαυτοῦ.

14 λέγων, εἰ μὴν εὐλογῶν εὐλογήσω σε καὶ πληθύνων πληθυνῶ σε·

15 καὶ οὕτως μακροθυμήσας ἐπέτυχεν τῆς ἐπαγγελίας.

16 ἄνθρωποι γὰρ κατὰ τοῦ μείζονος ὀμνύουσιν καὶ πάσης αὐτοῖς ἀντιλογίας πέρας εἰς βεβαίωσιν ὁ ὅρκος.

맛싸성경

13 하나님께서 아브라함에게 약속하셨을 때 그분은 맹세할 어떤 더 큰 자가 없어서 자신으로 (두고) 맹세하셔서 14 말씀하셨다. "내가 참으로 반드시(MT 복 주며) 너를 복 주고 또 내가 반드시(MT 많아지고) 너를 많아지게 할 것이다." 15 이렇게 그(아브라함)는 인내하였으며 그 약속을 받았다. 16 사람들은 (자기보다) 더 큰 자에 대하여 맹세하는데 맹세는 그들에게 모든 논쟁의 끝으로 확증하기 위한 것이다.

NET

13 Now when God made his promise to Abraham, since he could swear by no one greater, he swore by himself, 14 saying, "Surely I will bless you greatly and multiply your descendants abundantly." 15 And so by persevering, Abraham inherited the promise. 16 For people swear by something greater than themselves, and the oath serves as a confirmation to end all dispute.

17 ἐν ᾧ περισσότερον βουλόμενος ὁ θεὸς ἐπιδεῖξαι τοῖς κληρονόμοις τῆς ἐπαγγελίας τὸ ἀμετάθετον τῆς βουλῆς αὐτοῦ ἐμεσίτευσεν ὅρκῳ,

18 ἵνα διὰ δύο πραγμάτων ἀμεταθέτων ἐν οἷς ἀδύνατον ψεύσασθαι θεόν, ἰσχυρὰν παράκλησιν ἔχωμεν οἱ καταφυγόντες κρατῆσαι τῆς προκειμένης ἐλπίδος·

19 ἣν ὡς ἄγκυραν ἔχομεν τῆς ψυχῆς ἀσφαλῆ τε καὶ βεβαίαν καὶ εἰσερχομένην εἰς τὸ ἐσώτερον τοῦ καταπετάσματος,

20 ὅπου πρόδρομος ὑπὲρ ἡμῶν εἰσῆλθεν Ἰησοῦς κατὰ τὴν τάξιν Μελχισέδεκ ἀρχιερεὺς γενόμενος εἰς τὸν αἰῶνα.

맛싸성경

17 그 안(맹세)에서 하나님은 그분의 계획의 변함없음을 약속의 상속자들에게 보여주시기 위해서 더 충만하기를 원하셔서 그분은 맹세로 보증하셨으니 18 이는 하나님은 거짓말을 하실 수 없는 두 가지 변함없는 일들을 통하여 우리 앞에 놓인 소망을 붙잡으려고 피하는 자들인 우리로 확실한 위로를 가지게 하려 함이다. 19 우리가 영혼의 닻 같은 것으로 가지고 있는 것(소망)은 확실한 것이며 또 신뢰할 것으로 또 우리는 휘장 안으로 들어가니 20 그곳에 예수께서 우리를 위하여 선구자로 들어가셨는데 영원한 대성직자로 멜기세덱의 계열을 따른 것이다.

NET

17 In the same way God wanted to demonstrate more clearly to the heirs of the promise that his purpose was unchangeable, and so he intervened with an oath, 18 so that we who have found refuge in him may find strong encouragement to hold fast to the hope set before us through two unchangeable things, since it is impossible for God to lie. 19 We have this hope as an anchor for the soul, sure and steadfast, which reaches inside behind the curtain, 20 where Jesus our forerunner entered on our behalf, since he became a priest forever in the order of Melchizedek.

7 Westcott-Hort Greek NT

1 Οὗτος γὰρ ὁ Μελχισέδεκ, βασιλεὺς Σαλήμ, ἱερεὺς τοῦ θεοῦ

τοῦ ὑψίστου, ὁ συναντήσας Ἀβραὰμ ὑποστρέφοντι ἀπὸ τῆς

κοπῆς τῶν βασιλέων καὶ εὐλογήσας αὐτόν,

2 ᾧ καὶ δεκάτην ἀπὸ πάντων ἐμέρισεν Ἀβραάμ, πρῶτον μὲν

ἑρμηνευόμενος βασιλεὺς δικαιοσύνης ἔπειτα δὲ καὶ βασιλεὺς

Σαλήμ, ὅ ἐστιν βασιλεὺς εἰρήνης,

3 ἀπάτωρ ἀμήτωρ ἀγενεαλόγητος, μήτε ἀρχὴν ἡμέρων μήτε

ζωῆς τέλος ἔχων, ἀφωμοιωμένος δὲ τῷ υἱῷ τοῦ θεοῦ, μένει

ἱερεὺς εἰς τὸ διηνεκές.

맛싸성경

1 그러므로 이 사람 멜기세덱은 샬렘 왕이요 지극히 높으신 하나님의 성직자로 왕들을 패배시키고 돌아오는 아브라함을 만난 자로서 또한 그를 (위하여) 복을 빈 자이다. 2 아브라함이 그(멜기세덱)에게 모든 것들로부터 10 분의 1 을 나누었으니 (그의 이름을) 해석하면 먼저 한편으로 의의 왕이고 다른 편으로 샬렘의 왕이니 그는 평강(평안)의 왕이다. 3 아버지도 없고 어머니도 없으며 족보도 없고 시작하는 날들도 없으며 생명의 마지막도 없으니 하나님의 아들과 같아서 영원토록 성직자로 남아 있다.

NET

1 Now this Melchizedek, king of Salem, priest of the most high God, met Abraham as he was returning from defeating the kings and blessed him. 2 To him also Abraham apportioned a tithe of everything. His name first means king of righteousness, then king of Salem, that is, king of peace. 3 Without father, without mother, without genealogy, he has neither beginning of days nor end of life but is like the son of God, and he remains a priest for all time.

4 Θεωρεῖτε δὲ πηλίκος οὗτος, ᾧ δεκάτην Ἀβραὰμ ἔδωκεν ἐκ τῶν ἀκροθινίων ὁ πατριάρχης.

5 καὶ οἱ μὲν ἐκ τῶν υἱῶν Λευὶ τὴν ἱερατείαν λαμβάνοντες ἐντολὴν ἔχουσιν ἀποδεκατοῦν τὸν λαὸν κατὰ τὸν νόμον, τοῦτ' ἔστιν τοὺς ἀδελφοὺς αὐτῶν, καίπερ ἐξεληλυθότας ἐκ τῆς ὀσφύος Ἀβραάμ·

6 ὁ δὲ μὴ γενεαλογούμενος ἐξ αὐτῶν δεδεκάτωκεν Ἀβραὰμ καὶ τὸν ἔχοντα τὰς ἐπαγγελίας εὐλόγηκεν.

7 χωρὶς δὲ πάσης ἀντιλογίας τὸ ἔλαττον ὑπὸ τοῦ κρείττονος εὐλογεῖται.

맛싸성경

4 그러니 이 사람이 얼마나 위대한지 생각해 보아라. 족장 아브라함도 탈취물에서 그에게 10 분의 1 을 드렸다. 5 또 레위의 아들들에게서(아들들 중에서) 성직자직을 받은 자들도 율법을 따라서 백성들에게 십일조를 받을 명령을 가지고 있었으니 이들은 그(백성)들의 형제이고 또한 아브라함의 허리에서부터 난 자들이었음에도 (그러하였으나) 6 그(멜기세덱)는 그들에게서 난 후손이 아님에도 아브라함에게 10 분의 1 을 받았고 또한 약속들을 가지고 있는 그에게 복을 빌었다. 7 낮은 자가 더 높은 자에게 복을 받는다는 것은 어떤 반론도 없다.

NET

4 But see how great he must be, if Abraham the patriarch gave him a tithe of his plunder. 5 And those of the sons of Levi who receive the priestly office have authorization according to the law to collect a tithe from the people, that is, from their fellow countrymen, although they, too, are descendants of Abraham. 6 But Melchizedek who does not share their ancestry collected a tithe from Abraham and blessed the one who possessed the promise. 7 Now without dispute the inferior is blessed by the superior,

8 καὶ ὧδε μὲν δεκάτας ἀποθνήσκοντες ἄνθρωποι

λαμβάνουσιν, ἐκεῖ δὲ μαρτυρούμενος ὅτι ζῇ.

9 καὶ ὡς ἔπος εἰπεῖν δι' Ἀβραὰμ καὶ Λευὶς ὁ δεκάτας λαμβάνων

δεδεκάτωται·

10 ἔτι γὰρ ἐν τῇ ὀσφύϊ τοῦ πατρὸς ἦν ὅτε συνήντησεν αὐτῷ

Μελχισέδεκ.

11 Εἰ μὲν οὖν τελείωσις διὰ τῆς Λευιτικῆς ἱερωσύνης ἦν, ὁ λαὸς

γὰρ ἐπ' αὐτῆς νενομοθέτηται, τίς ἔτι χρεία κατὰ τὴν τάξιν

Μελχισέδεκ ἕτερον ἀνίστασθαι ἱερέα καὶ οὐ κατὰ τὴν τάξιν

Ἀαρὼν λέγεσθαι;.

맛싸성경

8 또 이 경우에 죽는 사람(레위 출신 성직자)들이 10분의 1을 받지만 다른 경우에는 그가 살아 있다고 증거해지는 자(멜기세덱)에 의해서 (받는다). 9 말하자면 10분의 1을 받는 레위도 아브라함을 통해서 십일조를 바쳤다고 말할 수 있으니 10 이는 멜기세덱이 그를 만났을 때 그(레위)는 여전히 조상의 허리에 있었기 때문이다. 11 그러므로 만일 한편으로 레위인 성직자직을 통하여 완전함을 가질 수 있었다면 -이는 백성이 그것에서 율법을 받았으니- 멜기세덱의 계열을 따라서 다른 성직자가 일어나도록 할 필요가 있으며 또한 아론의 계열을 따르지 않는 자들을 말하겠느냐?

NET

8 and in one case tithes are received by mortal men, while in the other by him who is affirmed to be alive. 9 And it could be said that Levi himself, who receives tithes, paid a tithe through Abraham. 10 For he was still in his ancestor Abraham's loins when Melchizedek met him. 11 So if perfection had in fact been possible through the Levitical priesthood—for on that basis the people received the law—what further need would there have been for another priest to arise, said to be in the order of Melchizedek and not in Aaron's order?

7 Westcott-Hort Greek NT

12 μετατιθεμένης γὰρ τῆς ἱερωσύνης ἐξ ἀνάγκης καὶ νόμου μετάθεσις γίνεται.

13 ἐφ' ὃν γὰρ λέγεται ταῦτα, φυλῆς ἑτέρας μετέσχηκεν, ἀφ' ἧς οὐδεὶς προσέσχηκεν τῷ θυσιαστηρίῳ·

14 πρόδηλον γὰρ ὅτι ἐξ Ἰούδα ἀνατέταλκεν ὁ κύριος ἡμῶν, εἰς ἣν φυλὴν περὶ ἱερέων οὐδὲν Μωϋσῆς ἐλάλησεν.

15 καὶ περισσότερον ἔτι κατάδηλον ἐστιν, εἰ κατὰ τὴν ὁμοιότητα Μελχισέδεκ ἀνίσταται ἱερεὺς ἕτερος,

16 ὃς οὐ κατὰ νόμον ἐντολῆς σαρκίνης γέγονεν ἀλλὰ κατὰ δύναμιν ζωῆς ἀκαταλύτου.

17 μαρτυρεῖται γὰρ ὅτι Σὺ ἱερεὺς εἰς τὸν αἰῶνα κατὰ τὴν τάξιν Μελχισέδεκ.

맛싸성경

12 그러므로 성직자직이 변경되었으니 필수적으로 또 율법도 변경되어야 한다. 13 그러므로 그분에 대하여 말하는 것은 이것들이니 그분은 다른 지파에 속하였고 그 지파에서는 어떤 자도 제단에 헌신한 적이 없었다는 것이다. 14 명백한 것은 유다(지파)로부터 우리 주님은 후손이 되셨으니 모세가 그 지파를 위하여 성직자에 관하여 말하지 않았던 것이다. 15 그리고 이것이 더욱 명확하니 만일 멜기세덱 같은 자를 따라서 다른 성직자가 일어났다고 한다면 16 그분은 육신적으로 되어진 명령의 율법이 아니라 무한한 생명의 능력을 따른 것이다. 17 이는 (그분에 대하여) 증거하기를 "너는 멜기세덱의 계열을 따른 영원한 성직자이다."(라고 하셨기 때문이다).

NET

12 For when the priesthood changes, a change in the law must come as well. 13 Yet the one these things are spoken about belongs to a different tribe, and no one from that tribe has ever officiated at the altar. 14 For it is clear that our Lord is descended from Judah, yet Moses said nothing about priests in connection with that tribe. 15 And this is even clearer if another priest arises in the likeness of Melchizedek, 16 who has become a priest not by a legal regulation about physical descent but by the power of an indestructible life. 17 For here is the testimony about him: "You are a priest forever in the order of Melchizedek."

7 Westcott-Hort Greek NT

18 ἀθέτησις μὲν γὰρ γίνεται προαγούσης ἐντολῆς διὰ τὸ αὐτῆς

ἀσθενὲς καὶ ἀνωφελές

19 οὐδὲν γὰρ ἐτελείωσεν ὁ νόμος ἐπεισαγωγὴ δὲ κρείττονος

ἐλπίδος δι' ἧς ἐγγίζομεν τῷ θεῷ.

맛싸성경

18 그러므로 전에 명령은 폐기되었는데 그것(명령)의 약함과 무용함 때문이니 19 -이는 율법은 어떤 것도 성별하게 못하기 때문이나- 더 좋은 소망을 가져오니 우리는 그것(소망)을 통하여 하나님께 가까이 간다.

NET

18 On the one hand a former command is set aside because it is weak and useless, 19 for the law made nothing perfect. On the other hand a better hope is introduced, through which we draw near to God.

20 Καὶ καθ' ὅσον οὐ χωρὶς ὁρκωμοσίας· οἱ μὲν γὰρ χωρὶς ὁρκωμοσίας εἰσὶν ἱερεῖς γεγονότες,

21 ὁ δὲ μετὰ ὁρκωμοσίας διὰ τοῦ λέγοντος πρὸς αὐτόν, Ὤμοσεν κύριος καὶ οὐ μεταμεληθήσεται, Σὺ ἱερεὺς εἰς τὸν αἰῶνα.

22 κατὰ τοσοῦτο καὶ κρείττονος διαθήκης γέγονεν ἔγγυος Ἰησοῦς.

23 καὶ οἱ μὲν πλείονες εἰσιν γεγονότες ἱερεῖς διὰ τὸ θανάτῳ κωλύεσθαι παραμένειν·

24 ὁ δὲ διὰ τὸ μένειν αὐτὸν εἰς τὸν αἰῶνα ἀπαράβατον ἔχει τὴν ἱερωσύνην.

맛싸성경

20 그리고 (이것은) 맹세함 없는 것에 비례한 것이 아니라 그들은 맹세함 없이 성직자들이 되었으나 21 그 (주님/예수)분은 자기에게 말씀하신 분(하나님)을 통하여 맹세와 함께 되었으니 "주님은 맹세하셨고 후회하지 않으실 것이다. 너는 멜기세덱 계열을 따른 영원한 성직자라."(고 하셨다). 22 훨씬 더하여 예수는 (더) 나은 언약의 보증이 되셨다. 23 또한 많은 사람들이 성직자들로 있었던 것은 죽음으로 인하여 그들이 계속적으로 남아있지 못하였기 때문이나 24 그분은 영원히 계신 분이시기 때문에 영원한(변함없는) 성직자 직을 가지고 계시므로

NET

20 And since this was not done without a sworn affirmation—for the others have become priests without a sworn affirmation, 21 but Jesus did so with a sworn affirmation by the one who said to him, "The Lord has sworn and will not change his mind, 'You are a priest forever'"— 22 accordingly Jesus has become the guarantee of a better covenant. 23 And the others who became priests were numerous because death prevented them from continuing in office, 24 but he holds his priesthood permanently since he lives forever.

25 ὅθεν καὶ σῴζειν εἰς τὸ παντελὲς δύναται τοὺς προσερχομένους δι' αὐτοῦ τῷ θεῷ, πάντοτε ζῶν εἰς τὸ ἐντυγχάνειν ὑπὲρ αὐτῶν.

26 Τοιοῦτος γὰρ ἡμῖν [καὶ] ἔπρεπεν ἀρχιερεύς, ὅσιος ἄκακος ἀμίαντος κεχωρισμένος ἀπὸ τῶν ἁμαρτωλῶν καὶ ὑψηλότερος τῶν οὐρανῶν γενόμενος,

27 ὃς οὐκ ἔχει καθ' ἡμέραν ἀνάγκην, ὥσπερ οἱ ἀρχιερεῖς, πρότερον ὑπὲρ τῶν ἰδίων ἁμαρτιῶν θυσίας ἀναφέρειν ἔπειτα τῶν τοῦ λαοῦ· τοῦτο γὰρ ἐποίησεν ἐφάπαξ ἑαυτὸν ἀνενέγκας.

28 ὁ νόμος γὰρ ἀνθρώπους καθίστησιν ἀρχιερεῖς ἔχοντας ἀσθένειαν, ὁ λόγος δὲ τῆς ὁρκωμοσίας τῆς μετὰ τὸν νόμον υἱὸν εἰς τὸν αἰῶνα τετελειωμένον.

맛싸성경

25 그분은 자신을 통하여 하나님께 다가가는 모든 자들을 언제든지(온전히) 구원하실 수 있으니 그분은 항상 살아계셔서 그들을 위하여 간구하신다. 26 그러므로 이러한 대성직자가 우리에게 합당하니 거룩하고 죄가 없으시며 더러움이 없으시고 죄인(들)로부터 분리되셔서 하늘(들) 위에 높아지신 분이시다. 27 그분은 대성직자들이 자신의 죄들을 위하여 제물을 드리고 그 후에 백성들을 위해서 드린 것같이 날마다 할 필요가 없으시니 이는 그분은 단번에 자신을 (제물로) 드리셨기 때문이다. 28 그러므로 율법은 연약함을 가진 사람들을 대성직자들로 세웠지만 맹세의 말씀은 율법 이후에 온전하게(성별하게) 되신 아들을 영원히 (세우셨다).

NET

25 So he is able to save completely those who come to God through him because he always lives to intercede for them. 26 For it is indeed fitting for us to have such a high priest: holy, innocent, undefiled, separate from sinners, and exalted above the heavens. 27 He has no need to do every day what those priests do, to offer sacrifices first for their own sins and then for the sins of the people, since he did this in offering himself once for all. 28 For the law appoints as high priests men subject to weakness, but the word of solemn affirmation that came after the law appoints a son made perfect forever.

8 Westcott-Hort Greek NT

1 Κεφάλαιον δὲ ἐπὶ τοῖς λεγομένοις, τοιοῦτον ἔχομεν ἀρχιερέα,

ὃς ἐκάθισεν εν δεξια τοῦ θρόνου τῆς μεγαλωσύνης ἐν τοῖς

οὐρανοῖς,

2 τῶν ἁγίων λειτουργὸς καὶ τῆς σκηνῆς τῆς ἀληθινῆς, ἣν

ἔπηξεν ὁ κύριος, οὐκ ἄνθρωπος.

3 πᾶς γὰρ ἀρχιερεὺς εἰς τὸ προσφέρειν δῶρα τε καὶ θυσίας

καθίσταται· ὅθεν ἀναγκαῖον ἔχειν τι καὶ τοῦτον ὃ προσενέγκῃ.

4 εἰ μὲν οὖν ἦν ἐπὶ γῆς οὐδ' ἂν ἦν ἱερεύς, ὄντων τῶν

προσφερόντων κατὰ νόμον τὰ δῶρα·

맛싸성경

1 이제 말한 것에 대한 핵심은 우리는 이러한 대성직자를 가지고 있으며 그분은 하늘(들)에서 주권자의 보좌의 오른쪽에 앉아 계시니 2 주님께서 세우신 것이며 또 사람이 (한 것이) 아닌 성소와 진짜(참) 성막의 사역자이시다. 3 각 대성직자는 예물과 제물을 드리도록 위임받았으니 이런 이유로 (그분도) 드려야 할 어떤 것을 가져야 할 필요가 있으시다. 4 그러므로 만일 그분이 땅에 계셨다면 그분은 성직자가 아니셨을 것이니 (땅에는) 율법을 따라서 예물을 드리는 성직자들이 있었기 때문이다.

NET

1 Now the main point of what we are saying is this: We have such a high priest, one who sat down at the right hand of the throne of the Majesty in heaven, 2 a minister in the sanctuary and the true tabernacle that the Lord, not man, set up. 3 For every high priest is appointed to offer both gifts and sacrifices. So this one, too, had to have something to offer. 4 Now if he were on earth, he would not be a priest, since there are already priests who offer the gifts prescribed by the law.

5 οἵτινες ὑποδείγματι καὶ σκιᾷ λατρεύουσιν τῶν ἐπουρανίων,

καθὼς κεχρημάτισται Μωϋσῆς μέλλων ἐπιτελεῖν τὴν σκηνήν,

Ὅρα γὰρ φησιν, ποιήσεις πάντα κατὰ τὸν τύπον τὸν δειχθέντα

σοι ἐν τῷ ὄρει·

6 νῦν δὲ διαφορωτέρας τέτυχεν λειτουργίας, ὅσῳ καὶ

κρείττονος ἐστιν διαθήκης μεσίτης ἥτις ἐπὶ κρείττοσιν

ἐπαγγελίαις νενομοθέτηται.

7 Εἰ γὰρ ἡ πρώτη ἐκείνη ἦν ἄμεμπτος, οὐκ ἂν δευτέρας

ἐζητεῖτο τόπος.

맛싸성경

5 그들이 섬기는 것은 하늘에 있는 것들의 복사본(샘플)과 그림자인데 이같이 모세도 성막을 완성하려고 할 때 (하나님께) 지시를 받았으니 그분이 말씀하셨다. "보아라, 너는 네게 산에서 보여준 모형을 따라서 모든 것들을 만들어라." 6 그러나 이제 그분은 차별된 사역을 얻으셨으니 그분은 더 좋은 약속들에 의해서 제정된 훨씬 더 좋은 언약의 중보자이시다. 7 그러므로 만일 그 첫 번째 것이 흠이 없었다면 둘째 것(새 언약)이 요구될 여지가 없었을 것이다.

NET

5 The place where they serve is a sketch and shadow of the heavenly sanctuary, just as Moses was warned by God as he was about to complete the tabernacle. For he says, "See that you make everything according to the design shown to you on the mountain." 6 But now Jesus has obtained a superior ministry, since the covenant that he mediates is also better and is enacted on better promises. 7 For if that first covenant had been faultless, no one would have looked for a second one.

8 μεμφόμενος γὰρ αὐτοὺς λέγει, Ἰδοὺ ἡμέραι ἔρχονται λέγει κύριος, καὶ συντελέσω ἐπὶ τὸν οἶκον Ἰσραὴλ καὶ ἐπὶ τὸν οἶκον Ἰούδα διαθήκην καινήν,

9 οὐ κατὰ τὴν διαθήκην, ἣν ἐποίησα τοῖς πατράσιν αὐτῶν ἐν ἡμέρᾳ ἐπιλαβομένου μου τῆς χειρὸς αὐτῶν ἐξαγαγεῖν αὐτοὺς ἐκ γῆς Αἰγύπτου, ὅτι αὐτοὶ οὐκ ἐνέμειναν ἐν τῇ διαθήκῃ μου, κἀγὼ ἠμέλησα αὐτῶν, λέγει κύριος·

10 ὅτι αὕτη ἡ διαθήκη ἣν διαθήσομαι τῷ οἴκῳ Ἰσραὴλ μετὰ τὰς ἡμέρας ἐκείνας, λέγει κύριος· διδοὺς νόμους μου εἰς τὴν διάνοιαν αὐτῶν καὶ ἐπὶ καρδίας αὐτῶν ἐπιγράψω αὐτούς, καὶ ἔσομαι αὐτοῖς εἰς θεόν, καὶ αὐτοὶ ἔσονταί μοι εἰς λαόν·

맛싸성경

8 그러나 그분이 그들의 잘못을 지적하셔서 말씀하셨다. "여호와(MT 주)께서 말씀하신다. '보아라, 날이 올 것이니 내가 이스라엘의 집과 유다의 집에 대하여 새 언약을 성취할 것인데 9 내가 이집트 땅에서부터 내 손으로 그들을 붙잡아서 인도하여 내던 날들에 그들의 아버지(조상)들과 맺은(세운) 그 언약을 따른 것이 아니니 이는 그들이 내 언약에 머무르지 않았으므로 내가 그들에게 관심 두지 않았다.' 여호와(MT 주)께서 말씀하신다. 10 (또) 여호와(MT 주)께서 말씀하신다. '이것이 그날들 후에 내가 이스라엘의 집과 언약할 그 언약이니 내가 내 율법을 그들의 생각에 줄 것이고 그들의 마음에 그것들을 기록할 것이니 나는 그들에게 하나님이 될 것이며 그들은 나에게 백성이 될 것이다.

NET

8 But showing its fault, God says to them, "Look, the days are coming, says the Lord, when I will complete a new covenant with the house of Israel and with the house of Judah. 9 It will not be like the covenant that I made with their fathers, on the day when I took them by the hand to lead them out of Egypt, because they did not continue in my covenant, and I had no regard for them, says the Lord. 10 For this is the covenant that I will establish with the house of Israel after those days, says the Lord. I will put my laws in their minds, and I will inscribe them on their hearts. And I will be their God, and they will be my people.

11 καὶ οὐ μὴ διδάξωσιν ἕκαστος τὸν πολίτην αὐτοῦ καὶ ἕκαστος τὸν ἀδελφὸν αὐτοῦ λέγων, Γνῶθι τὸν κύριον, ὅτι πάντες εἰδήσουσιν με ἀπὸ μικροῦ ἕως μεγάλου αὐτῶν,

12 ὅτι ἵλεως ἔσομαι ταῖς ἀδικίαις αὐτῶν καὶ τῶν ἁμαρτιῶν αὐτῶν οὐ μὴ μνησθῶ ἔτι.

13 ἐν τῷ λέγειν Καινὴν πεπαλαίωκεν τὴν πρώτην· τὸ δὲ παλαιούμενον καὶ γηράσκον ἐγγὺς ἀφανισμοῦ.

맛싸성경

11 또 그들은 각자 자기의 시민(백성)과 각자 자기의 형제에게 말하여 너는 여호와(MT 주님)를 알아라고 하지 않을 것이니 이는 그들의 작은 자에서부터 그들의 큰 자까지 모든 자들이 나를 알게 될 것이기 때문이다. 12 나는 그들의 불의함을 은혜롭게 여길 것이고 또 그들의 죄들과 (BYZ 그들의 불법들을) 더 이상 기억하지 않을 것이다.'" 13 그분이 말씀으로 새 것(언약)이라고 하셨으니 그분이 처음 것은 구식이 되게 하셨고 이제 구식이고 오래된 것은 사라지는 것이라.

NET

11 And there will be no need at all for each one to teach his countryman or each one to teach his brother saying, 'Know the Lord,' since they will all know me, from the least to the greatest. 12 For I will be merciful toward their evil deeds, and their sins I will remember no longer." 13 When he speaks of a new covenant, he makes the first obsolete. Now what is growing obsolete and aging is about to disappear.

9 Westcott-Hort Greek NT

1 Εἶχεν μὲν οὖν [καὶ] ἡ πρώτη δικαιώματα λατρείας τό τε ἅγιον κοσμικόν.

2 σκηνὴ γὰρ κατεσκευάσθη ἡ πρώτη ἐν ᾗ ἥ τε λυχνία καὶ ἡ τράπεζα καὶ ἡ πρόθεσις τῶν ἄρτων, ἥτις λέγεται Ἅγια·

3 μετὰ δὲ τὸ δεύτερον καταπέτασμα σκηνὴ ἡ λεγομένη Ἅγια Ἁγίων,

4 χρυσοῦν ἔχουσα θυμιατήριον καὶ τὴν κιβωτὸν τῆς διαθήκης περικεκαλυμμένην πάντοθεν χρυσίῳ ἐν ᾗ στάμνος χρυσῆ ἔχουσα τὸ μάννα καὶ ἡ ῥάβδος Ἀαρὼν ἡ βλαστήσασα καὶ αἱ πλάκες τῆς διαθήκης,

5 ὑπεράνω δὲ αὐτῆς Χερουβὶν δόξης κατασκιάζοντα τὸ ἱλαστήριον περὶ ὧν οὐκ ἔστιν νῦν λέγειν κατὰ μέρος.

맛싸성경

1 그러므로 참으로 첫 번째 것(언약)도 예식의 규칙과 세상의 성소를 가지고 있었다. 2 왜냐하면 그 첫 번째 성막이 갖추어져 있는데 그 안에는 등잔대와 상과 늘어 놓은 빵(진설병)들이 있으니 이것은 성소라고 불린다. 3 그리고 그 두 번째 휘장 뒤에는 거룩들의 거룩(지성소)라고 불리는 성막이 있었으니 4 금향로와 모든 면을 금으로 싼 언약궤를 가지고 있었는데 그(궤) 안에는 만나가 있는 금 항아리와 아론의 싹난 지팡이와 언약의 돌판들이 있었고 5 속죄소를 덮고 있는 영광의 케룹(그룹)들이 그것 위에 있었는데 이것들에 대해서는 지금 우리는 자세하게 말할 수 없다.

NET

1 Now the first covenant, in fact, had regulations for worship and its earthly sanctuary. 2 For a tent was prepared, the outer one, which contained the lampstand, the table, and the presentation of the loaves; this is called the Holy Place. 3 And after the second curtain there was a tent called the holy of holies. 4 It contained the golden altar of incense and the ark of the covenant covered entirely with gold. In this ark were the golden urn containing the manna, Aaron's rod that budded, and the stone tablets of the covenant. 5 And above the ark were the cherubim of glory overshadowing the mercy seat. Now is not the time to speak of these things in detail.

9 Westcott-Hort Greek NT

6 Τούτων δὲ οὕτως κατεσκευασμένων εἰς μὲν τὴν πρώτην σκηνὴν διὰ παντὸς εἰσίασιν οἱ ἱερεῖς τὰς λατρείας ἐπιτελοῦντες,

7 εἰς δὲ τὴν δευτέραν ἅπαξ τοῦ ἐνιαυτοῦ μόνος ὁ ἀρχιερεύς, οὐ χωρὶς αἵματος ὁ προσφέρει ὑπὲρ ἑαυτοῦ καὶ τῶν τοῦ λαοῦ ἀγνοημάτων,

8 τοῦτο δηλοῦντος τοῦ πνεύματος τοῦ ἁγίου, μήπω πεφανερῶσθαι τὴν τῶν ἁγίων ὁδὸν ἔτι τῆς πρώτης σκηνῆς ἐχούσης στάσιν,

9 ἥτις παραβολὴ εἰς τὸν καιρὸν τὸν ἐνεστηκότα καθ' ἣν δῶρα τε καὶ θυσίαι προσφέρονται μὴ δυνάμεναι κατὰ συνείδησιν τελειῶσαι τὸν λατρεύοντα,

10 μόνον ἐπὶ βρώμασιν καὶ πόμασιν καὶ διαφόροις βαπτισμοῖς, δικαιώματα σαρκὸς μέχρι καιροῦ διορθώσεως ἐπικείμενα.

맛싸성경

6 이제 이것들이 이렇게 갖추어져 있었는데 성직자들이 항상 첫 번째 성막 안으로 들어가 예식을 수행하나 7 두 번째 것(지성소)은 대성직자가 매년 단 한번 혼자서 (들어갔으니) 피 없이는 아니하였고 이것(피)은 자기와 백성들의 실수의 죄들을 위해서 드렸다. 8 성령이 이것을 명확하게 하셨는데 첫 번째 성막이 존재하여 서 있는 동안에도 성소의(성소로 들어가는) 길이 아직 나타내지 않았다는 것이고 9 -이것(성막)은 현재의 때를 위한 비유이니- 이에 따라 예물과 제물로 함께 드려졌어도 양심에 대하여는 예배자(예식)를 온전하게 할 수는 없으며 10 단지 음식과 마시는 것과 다른 의식적인 씻음과 육체의 규칙에 대한 것으로 새 질서(개혁)의 때까지 놓여져 있는(부과된) 것이다.

NET

6 So with these things prepared like this, the priests enter continually into the outer tent as they perform their duties. 7 But only the high priest enters once a year into the inner tent, and not without blood that he offers for himself and for the sins of the people committed in ignorance. 8 The Holy Spirit is making clear that the way into the Holy Place had not yet appeared as long as the old tabernacle was standing. 9 This was a symbol for the time then present, when gifts and sacrifices were offered that could not perfect the conscience of the worshiper. 10 They served only for matters of food and drink and various ritual washings; they are external regulations imposed until the new order came.

9 Westcott-Hort Greek NT

11 Χριστὸς δὲ παραγενόμενος ἀρχιερεὺς τῶν γενομένων

ἀγαθῶν διὰ τῆς μείζονος καὶ τελειοτέρας σκηνῆς οὐ

χειροποιήτου τοῦτ' ἔστιν οὐ ταύτης τῆς κτίσεως,

12 οὐδὲ δι' αἵματος τράγων καὶ μόσχων διὰ δὲ τοῦ ἰδίου

αἵματος εἰσῆλθεν ἐφάπαξ εἰς τὰ ἅγια αἰωνίαν λύτρωσιν

εὑράμενος.

13 εἰ γὰρ τὸ αἷμα τράγων καὶ ταύρων καὶ σποδὸς δαμάλεως

ῥαντίζουσα τοὺς κεκοινωμένους ἁγιάζει πρὸς τὴν τῆς σαρκὸς

καθαρότητα,

14 πόσῳ μᾶλλον τὸ αἷμα τοῦ Χριστοῦ, ὃς διὰ πνεύματος

αἰωνίου ἑαυτὸν προσήνεγκεν ἄμωμον τῷ θεῷ καθαριεῖ τὴν

συνείδησιν ἡμῶν ἀπὸ νεκρῶν ἔργων εἰς τὸ λατρεύειν θεῷ

ζῶντι.

맛싸성경

11 그러나 그리스도께서 더 위대하고 더 완전한 성막을 통하여 좋은 것들의 대성직자로 나타나셨으니(오셨으니) -(이 완전한 성막은) 손으로 만들지 않고 이것은 이렇게 만들어진 것이 아니며- 12 그분은 염소들이나 소들의 피로도 아니라 그분 자신의 피를 통하여 단번에 영원한 구속을 얻게 하시려고 성소들로 들어가셨다. 13 그러므로 만일 염소들이나 황소들의 피와 암소의 재를 부정한 자들에게 뿌려서 육신을 따라서 정결하게 하여 거룩하게 한다면 14 하물며 그리스도의 피는 얼마나 더하겠느냐? 그분이 영원한 성령을 통하여 자신을 하나님께 흠도 없이 드리셨으니 영원한 살아계신 하나님을 섬기도록 죽은 행위에서부터 우리의 양심을 정결하게 하실 것이라.

NET

11 But now Christ has come as the high priest of the good things to come. He passed through the greater and more perfect tent not made with hands, that is, not of this creation, 12 and he entered once for all into the Most Holy Place not by the blood of goats and calves but by his own blood, and so he himself secured eternal redemption. 13 For if the blood of goats and bulls and the ashes of a young cow sprinkled on those who are defiled consecrated them and provided ritual purity, 14 how much more will the blood of Christ, who through the eternal Spirit offered himself without blemish to God, purify our consciences from dead works to worship the living God.

15 Καὶ διὰ τοῦτο διαθήκης καινῆς μεσίτης ἐστίν, ὅπως θανάτου

γενομένου εἰς ἀπολύτρωσιν τῶν ἐπὶ τῇ πρώτῃ διαθήκῃ

παραβάσεων τὴν ἐπαγγελίαν λάβωσιν οἱ κεκλημένοι τῆς

αἰωνίου κληρονομίας.

16 ὅπου γὰρ διαθήκη θάνατον ἀνάγκη φέρεσθαι τοῦ

διαθεμένου·

17 διαθήκη γὰρ ἐπὶ νεκροῖς βεβαία ἐπεὶ μὴ τότε ἰσχύει ὅτε ζῇ ὁ

διαθέμενος.

맛싸성경

15 그리고 이런 이유로 그분이 새 언약의 중보자가 되
셔서 첫 번째 언약 아래에서 범한 죄들의 속죄를 위하
여 죽으셨으니 부름받은 자들이 영원한 유산의 약속
을 받게 하려 하심이다. 16 왜냐하면 유언이 있는 곳
에는 유언을 하는 자의 죽음이 필수적으로 있어야 하
리니 17 유언은 죽은 자들에게게서만 확정되고 유언한
자가 살아 있는 경우에는 결코 효력이 없기 때문이다.

NET

15 And so he is the mediator of a new covenant, so
that those who are called may receive the eternal
inheritance he has promised, since he died to set
them free from the violations committed under the
first covenant. 16 For where there is a will, the death
of the one who made it must be proven. 17 For a
will takes effect only at death, since it carries no
force while the one who made it is alive.

9 Westcott-Hort Greek NT

18 ὅθεν οὐδὲ ἡ πρώτη χωρὶς αἵματος ἐγκεκαίνισται·

19 λαληθείσης γὰρ πάσης ἐντολῆς κατὰ τὸν νόμον ὑπὸ

Μωϋσέως παντὶ τῷ λαῷ, λαβὼν τὸ αἷμα τῶν μόσχων καὶ τῶν

τράγων μετὰ ὕδατος καὶ ἐρίου κοκκίνου καὶ ὑσσώπου αὐτό τε

τὸ βιβλίον καὶ πάντα τὸν λαὸν ἐρράντισεν.

20 λέγων, Τοῦτο τὸ αἷμα τῆς διαθήκης ἧς ἐνετείλατο πρὸς ὑμᾶς

ὁ θεός.

맛싸성경

18 그러므로 그 첫 번째(언약)것도 피 없이는 시작되지 않는다. 19 그래서 모세에 의해서 율법을 따라서 모든 명령(들)을 모든 백성에게 말해졌을 때 송아지들이나 (BYZ 염소들의) 피를 가지고 물과 함께 자주색 양털과 히솝(우슬초)으로 그 책과 모든 백성에게 뿌렸고 20 "이것은 하나님께서 너희에게 명령하신 언약의 피이다."라고 말하였다.

NET

18 So even the first covenant was inaugurated with blood. 19 For when Moses had spoken every command to all the people according to the law, he took the blood of calves and goats with water and scarlet wool and hyssop and sprinkled both the book itself and all the people, 20 and said, "This is the blood of the covenant that God has commanded you to keep."

21 καὶ τὴν σκηνὴν δὲ καὶ πάντα τὰ σκεύη τῆς λειτουργίας τῷ αἵματι ὁμοίως ἐρράντισεν.

22 καὶ σχεδὸν ἐν αἵματι πάντα καθαρίζεται κατὰ τὸν νόμον καὶ χωρὶς αἱματεκχυσίας οὐ γίνεται ἄφεσις.

23 Ἀνάγκη οὖν τὰ μὲν ὑποδείγματα τῶν ἐν τοῖς οὐρανοῖς τούτοις καθαρίζεσθαι, αὐτὰ δὲ τὰ ἐπουράνια κρείττοσιν θυσίαις παρὰ ταύτας.

24 οὐ γὰρ εἰς χειροποίητα εἰσῆλθεν ἅγια Χριστός, ἀντίτυπα τῶν ἀληθινῶν, ἀλλ' εἰς αὐτὸν τὸν οὐρανόν, νῦν ἐμφανισθῆναι τῷ προσώπῳ τοῦ θεοῦ ὑπὲρ ἡμῶν·

맛싸성경

21 그리고 그는 이같이 성막과 섬기는 일을 위한 모든 그릇들에도 피를 뿌렸다. 22 율법에 따라 거의 모든 것들이 피로 정결해졌으니 피 흘림 없이는 용서함도 없다. 23 그러므로 하늘(들)에 있는 것들의 모형들은 이것(피)들로 정결해질 필요가 있었으나 하늘에 있는 것들 그 자체는 이것들보다 더 나은 제물(그리스도의 피)들로 (정결해져야 한다). 24 왜냐하면 그리스도께서는 진짜의 복사본인 손으로 만든 성소들에 들어가지 않으셨고 지금 우리를 위하여 하나님의 임재 앞에 나타나시려고 하늘 (성소) 자체로 (들어가셨다).

NET

21 And both the tabernacle and all the utensils of worship he likewise sprinkled with blood. 22 Indeed according to the law almost everything was purified with blood, and without the shedding of blood there is no forgiveness. 23 So it was necessary for the sketches of the things in heaven to be purified with these sacrifices, but the heavenly things themselves required better sacrifices than these. 24 For Christ did not enter a sanctuary made with hands—the representation of the true sanctuary—but into heaven itself, and he appears now in God's presence for us.

25 οὐδ' ἵνα πολλάκις προσφέρῃ ἑαυτόν, ὥσπερ ὁ ἀρχιερεὺς

εἰσέρχεται εἰς τὰ ἅγια κατ' ἐνιαυτὸν ἐν αἵματι ἀλλοτρίῳ,

26 ἐπεὶ ἔδει αὐτὸν πολλάκις παθεῖν ἀπὸ καταβολῆς κόσμου·

νυνὶ δὲ ἅπαξ ἐπὶ συντελείᾳ τῶν αἰώνων εἰς ἀθέτησιν τῆς

ἁμαρτίας διὰ τῆς θυσίας αὐτοῦ πεφανέρωται.

27 καὶ καθ' ὅσον ἀπόκειται τοῖς ἀνθρώποις ἅπαξ ἀποθανεῖν,

μετὰ δὲ τοῦτο κρίσις,

28 οὕτως καὶ ὁ Χριστὸς ἅπαξ προσενεχθεὶς εἰς τὸ πολλῶν

ἀνενεγκεῖν ἁμαρτίας ἐκ δευτέρου χωρὶς ἁμαρτίας ὀφθήσεται

τοῖς αὐτὸν ἀπεκδεχομένοις εἰς σωτηρίαν.

맛싸성경

25 대성직자가 매년마다 다른 것의 피로 성소들로 들어가는 것같이 그분은 자기 자신을 여러 번 드리지 않으셨으니 26 그랬다면 그분은 세상의 기초(창조)로부터 여러 번 고난받으셨어야 했으나 이제 그분은 자기 자신의 제물을 통하여 죄를 무효화하기 위해서 영원한(세상) 마지막 때(초림)에 단번에(단 한 번) 나타나지셨다. 27 한번 죽는 것은 사람들에게 정해져 있고 그 후에는 심판이 있는 것같이 28 그렇게 그리스도도 많은 사람들의 죄들을 담당하시려고 한번 드려지셨으니 그분은 구원을 위하여 자기를 간절히 기다리는자들에게 두 번째로 죄 없이 나타나실(보여지실) 것이다 (재림하실 것이다).

NET

25 And he did not enter to offer himself again and again, the way the high priest enters the sanctuary year after year with blood that is not his own, 26 for then he would have had to suffer again and again since the foundation of the world. But now he has appeared once for all at the consummation of the ages to put away sin by his sacrifice. 27 And just as people are appointed to die once, and then to face judgment, 28 so also, after Christ was offered once to bear the sins of many, to those who eagerly await him he will appear a second time, not to bear sin but to bring salvation.

10 Westcott-Hort Greek NT

1 Σκιὰν γὰρ ἔχων ὁ νόμος τῶν μελλόντων ἀγαθῶν, οὐκ αὐτὴν

τὴν εἰκόνα τῶν πραγμάτων, κατ᾽ ἐνιαυτὸν ταῖς αὐταῖς θυσίαις

ἃς προσφέρουσιν εἰς τὸ διηνεκὲς οὐδέποτε δύνανται τοὺς

προσερχομένους τελειῶσαι·

2 ἐπεὶ οὐκ ἂν ἐπαύσαντο προσφερόμεναι διὰ τὸ μηδεμίαν

ἔχειν ἔτι συνείδησιν ἁμαρτιῶν τοὺς λατρεύοντας ἅπαξ

κεκαθαρισμένους;.

3 ἀλλ᾽ ἐν αὐταῖς ἀνάμνησις ἁμαρτιῶν κατ᾽ ἐνιαυτόν·

4 ἀδύνατον γὰρ αἷμα ταύρων καὶ τράγων ἀφαιρεῖν ἁμαρτίας.

5 Διὸ εἰσερχόμενος εἰς τὸν κόσμον λέγει, Θυσίαν καὶ

προσφορὰν οὐκ ἠθέλησας, σῶμα δὲ κατηρτίσω μοι·

6 ὁλοκαυτώματα καὶ περὶ ἁμαρτίας οὐκ εὐδόκησας.

맛싸성경

1 왜냐하면 장차 올 좋은 것들의 그림자를 가진 율법은 실체들과 같은 형상이 아니니 해마다 지속적으로 그들이 드리는 같은 제물들로는 (드리려고) 나오는 자들을 결코 온전하게 할 수가 없다. 2 그렇지 않으면 그들이 드렸던 것이 중지되지 않았을 것이며 섬기는 자들이 단번에 깨끗해져서 더 이상 죄들의 양심(죄책감)을 가지지 않게 되지 않겠느냐? 3 그러나 이것(제물)들 안에서는 해마다 죄들을 기억함이 있나니 4 이는 황소들이나 염소들의 피가 죄들을 제거하지 못하기 때문이다. 5 그러므로 그분이 세상으로 들어오실 때(임하실 때) 말씀하셨다. "당신이 제물과 예물을 원하지 않으시고 오히려 당신이 나를 위해 한 몸을 준비하셨으며 6 당신은 태움제(번제)와 속죄제를 기뻐하지 않으셨습니다.

NET

1 For the law possesses a shadow of the good things to come but not the reality itself, and is therefore completely unable, by the same sacrifices offered continually, year after year, to perfect those who come to worship. 2 For otherwise would they not have ceased to be offered, since the worshipers would have been purified once for all and so have no further consciousness of sin? 3 But in those sacrifices there is a reminder of sins year after year. 4 For it is impossible for the blood of bulls and goats to take away sins. 5 So when he came into the world, he said, "Sacrifice and offering you did not desire, but a body you prepared for me.

7 τότε εἶπον, Ἰδοὺ ἥκω ἐν κεφαλίδι βιβλίου γέγραπται περὶ ἐμοῦ, τοῦ ποιῆσαι ο θεος το θελημα σου.

8 ἀνώτερον λέγων ὅτι θυσίας καὶ προσφορὰς καὶ ὁλοκαυτώματα καὶ περὶ ἁμαρτίας οὐκ ἠθέλησας οὐδὲ εὐδόκησας, αἵτινες κατὰ νόμον προσφέρονται,

9 τότε εἴρηκεν, Ἰδοὺ ἥκω τοῦ ποιῆσαι τὸ θέλημα σου. ἀναιρεῖ τὸ πρῶτον ἵνα τὸ δεύτερον στήσῃ.

10 ἐν ᾧ θελήματι ἡγιασμένοι ἐσμεν διὰ τῆς προσφορᾶς τοῦ σώματος Ἰησοῦ Χριστοῦ ἐφάπαξ.

맛싸성경

7 그러자 나는 말하였습니다. '보십시오, 내 하나님이 시여! 내가 와서 기록된 두루마리에 나에 관해서 기록된 대로 (나는) 당신의 뜻을 행하려 합니다.'" 8 (그분 께서) 위에서 말씀하시기를 " 당신은 제물들(BYZ 제물)과 예물들(BYZ 예물)과 태움제(번제)들과 속죄제에 대해서 원하지도 않으시고 기뻐하시지도 않으십니다." (하셨습니다). - 이것들은 율법을 따라서 드려진 것들이라- 9 그러자 그분이 말씀하셨다. "보십시오, (BYZ 하나님이시여!) 내가 당신의 뜻을 행하러 왔습니다." 그분은 첫 번째 것을 폐하고 두 번째 것을 세우려 하심이라. 10 이 뜻 안에서 단번에 예수 그리스도의 몸을 드리심으로 우리가 거룩하게 되었다.

NET

6 Whole burnt offerings and sin-offerings you took no delight in. 7 Then I said, 'Here I am: I have come—it is written of me in the scroll of the book—to do your will, O God.'" 8 When he says above, "Sacrifices and offerings and whole burnt offerings and sin-offerings you did not desire nor did you take delight in them" (which are offered according to the law), 9 then he says, "Here I am: I have come to do your will." He does away with the first to establish the second. 10 By his will we have been made holy through the offering of the body of Jesus Christ once for all.

11 Καὶ πᾶς μὲν ἱερεὺς ἔστηκεν καθ' ἡμέραν λειτουργῶν καὶ τὰς

αὐτὰς πολλάκις προσφέρων θυσίας, αἵτινες οὐδέποτε

δύνανται περιελεῖν ἁμαρτίας,

12 οὗτος δὲ μίαν ὑπὲρ ἁμαρτιῶν προσενέγκας θυσίαν εἰς τὸ

διηνεκὲς ἐκάθισεν ἐν δεξιᾷ τοῦ θεοῦ,

13 τὸ λοιπὸν ἐκδεχόμενος ἕως τεθῶσιν οἱ ἐχθροὶ αὐτοῦ

ὑποπόδιον τῶν ποδῶν αὐτοῦ.

14 μιᾷ γὰρ προσφορᾷ τετελείωκεν εἰς τὸ διηνεκὲς τοὺς

ἁγιαζομένους.

맛싸성경

11 모든 성직자는 매일 서서 예식을 수행하고 자주 같은 제물들을 드림에도 그것들은 죄들을 결코 제거할 수 없으나 12 이분(BYZ 그분)(그리스도)이 죄들을 위하여 한 번의 제물을 영구적으로 드리셨고 하나님의 우편에 앉으셨으며 13 자신의 대적들을 자신의 발의 받침대로 두실 때까지 남은 동안 기다리신다. 14 왜냐하면 그분이 한 번의 예물로 영구적으로 거룩해진 자들을 위하여 성취하셨다(완전하게 하셨다).

NET

11 And every priest stands day after day serving and offering the same sacrifices again and again—sacrifices that can never take away sins. 12 But when this priest had offered one sacrifice for sins for all time, he sat down at the right hand of God, 13 where he is now waiting until his enemies are made a footstool for his feet. 14 For by one offering he has perfected for all time those who are made holy.

15 Μαρτυρεῖ δὲ ἡμῖν καὶ τὸ πνεῦμα τὸ ἅγιον μετὰ γὰρ τὸ

εἰρηκέναι,

16 Αὕτη ἡ διαθήκη ἣν διαθήσομαι πρὸς αὐτούς, μετὰ τὰς

ἡμέρας ἐκείνας, λέγει κύριος· διδοὺς νόμους μου ἐπὶ καρδίας

αὐτῶν καὶ ἐπὶ τὴν διάνοιαν αὐτῶν ἐπιγράψω αὐτούς,

17 καὶ τῶν ἁμαρτιῶν αὐτῶν καὶ τῶν ἀνομιῶν αὐτῶν οὐ μὴ

μνησθήσομαι ἔτι.

18 ὅπου δὲ ἄφεσις τούτων, οὐκέτι προσφορὰ περὶ ἁμαρτίας.

맛싸성경

15 그리고 성령도 우리에게 증언하신다. 그러므로 말씀하신 후에(BYZ 이전에 말씀하신 것 후에) 16 "그날들 후에 내가 그들과 언약할 언약은 이것이니 여호와(MT 주님)께서 말씀하시기를 내 율법들을 그들의 마음들에 주고 그들의 생각(들)에 그것(율법)들을 기록할 것이다. 17 그리고 그들의 죄들과 그들의 불법들을 내가 더 이상 기억하지 않을 것이다." 18 이것들을 용서하신 곳에서는 더 이상 죄에 대해서 예물을 드릴(필요가) 없다.

NET

15 And the Holy Spirit also witnesses to us, for after saying, 16 "This is the covenant that I will establish with them after those days, says the Lord. I will put my laws on their hearts and I will inscribe them on their minds," 17 then he says, "Their sins and their lawless deeds I will remember no longer." 18 Now where there is forgiveness of these, there is no longer any offering for sin.

19 Ἔχοντες οὖν, ἀδελφοί, παρρησίαν εἰς τὴν εἴσοδον τῶν

ἁγίων ἐν τῷ αἵματι Ἰησοῦ,

20 ἣν ἐνεκαίνισεν ἡμῖν ὁδὸν πρόσφατον καὶ ζῶσαν διὰ τοῦ

καταπετάσματος, τοῦτ' ἔστιν τῆς σαρκὸς αὐτοῦ,

21 καὶ ἱερέα μέγαν ἐπὶ τὸν οἶκον τοῦ θεοῦ,

22 προσερχώμεθα μετὰ ἀληθινῆς καρδίας ἐν πληροφορίᾳ

πίστεως ῥεραντισμένοι τὰς καρδίας ἀπὸ συνειδήσεως

πονηρᾶς καὶ λελουσμένοι τὸ σῶμα ὕδατι καθαρῷ·

맛싸성경

19 그러므로 형제들아, 우리는 예수의 피로 성소들(거룩한 곳들)(지성소) 입구로 들어가는 담대함을 가지고 있으니(얻었으니) 20 휘장을 통하여 새롭고 살아있는 길을 우리를 위하여 열어주셨기 때문이다. 그것은 그분의 육체이고 21 그리고 하나님의 집에 위대한(대)성직자가 계시니 22 우리는 악한 양심으로부터 (우리) 마음에 뿌림을 받고 정결한 물과 함께 몸을 씻음으로 믿음의 가득 찬 확신 안에서 참 마음으로 가까이 나아가자.

NET

19 Therefore, brothers and sisters, since we have confidence to enter the sanctuary by the blood of Jesus, 20 by the fresh and living way that he inaugurated for us through the curtain, that is, through his flesh, 21 and since we have a great priest over the house of God, 22 let us draw near with a sincere heart in the assurance that faith brings, because we have had our hearts sprinkled clean from an evil conscience and our bodies washed in pure water.

23 κατέχωμεν τὴν ὁμολογίαν τῆς ἐλπίδος ἀκλινῆ πιστὸς γὰρ ὁ

ἐπαγγειλάμενος,

24 καὶ κατανοῶμεν ἀλλήλους εἰς παροξυσμὸν ἀγάπης καὶ

καλῶν ἔργων,

25 μὴ ἐγκαταλείποντες τὴν ἐπισυναγωγὴν ἑαυτῶν, καθὼς ἔθος

τισίν, ἀλλὰ παρακαλοῦντες καὶ τοσούτῳ μᾶλλον ὅσῳ βλέπετε

ἐγγίζουσαν τὴν ἡμέραν.

맛싸성경

23 약속하신 그분이 신실하시기 때문에 우리는 동요하지 않는 소망의 고백을 붙잡자. 24 또한 우리도 사랑과 선한 행위를 격려하기 위해서 서로 주의를 기울이고 25 어떤 사람들의 관습과 같이 우리들의 모임을 포기하지 말고 오히려 서로 격려하며 그날이 가까워지는 것을 (너희가) 보는 만큼 우리는 훨씬 더 많이 (보도록 하자).

NET

23 And let us hold unwaveringly to the hope that we confess, for the one who made the promise is trustworthy. 24 And let us take thought of how to spur one another on to love and good works, 25 not abandoning our own meetings, as some are in the habit of doing, but encouraging each other, and even more so because you see the day drawing near.

26 Ἑκουσίως γὰρ ἁμαρτανόντων ἡμῶν μετὰ τὸ λαβεῖν τὴν

ἐπίγνωσιν τῆς ἀληθείας, οὐκέτι περὶ ἁμαρτιῶν ἀπολείπεται

θυσία,

27 φοβερὰ δέ τις ἐκδοχὴ κρίσεως καὶ πυρὸς ζῆλος ἐσθίειν

μέλλοντος τοὺς ὑπεναντίους.

28 ἀθετήσας τις νόμον Μωϋσέως χωρὶς οἰκτιρμῶν ἐπὶ δυσὶν ἢ

τρισὶν μάρτυσιν ἀποθνῄσκει·

맛싸성경

26 왜냐하면 만일 우리가 진리의 지식을 가진(받은) 후에도 의도적으로 (계속) 죄를 지으면 죄들에 대해서 그것을 없애는 제물은 없고 27 오히려 어떤 두려운 심판의 기대와 대적자들을 삼키려는 열렬한 불만 있을 것이다. 28 모세의 율법을 거부한 어떤 자도 긍휼함 없이 두세 사람의 증인들로 죽었는데

NET

26 For if we deliberately keep on sinning after receiving the knowledge of the truth, no further sacrifice for sins is left for us, 27 but only a certain fearful expectation of judgment and a fury of fire that will consume God's enemies. 28 Someone who rejected the law of Moses was put to death without mercy on the testimony of two or three witnesses.

29 πόσῳ δοκεῖτε χείρονος ἀξιωθήσεται τιμωρίας ὁ τὸν υἱὸν

τοῦ θεοῦ καταπατήσας καὶ τὸ αἷμα τῆς διαθήκης κοινὸν

ἡγησάμενος ἐν ᾧ ἡγιάσθη, καὶ τὸ πνεῦμα τῆς χάριτος

ἐνυβρίσας;.

30 οἴδαμεν γὰρ τὸν εἰπόντα Ἐμοὶ ἐκδίκησις, ἐγὼ ἀνταποδώσω.

καὶ πάλιν, Κρινεῖ κύριος τὸν λαὸν αὐτοῦ.

31 φοβερὸν τὸ ἐμπεσεῖν εἰς χεῖρας θεοῦ ζῶντος.

맛싸성경

29 하나님의 아들을 경멸스럽게 대하고(발로 밟고) 그 분으로 거룩하게 된 언약의 피를 부정한 것으로 여기 며 또한 은혜의 성령을 모욕하는 자가 얼마나 더욱 고 통스러운 심판을 감당해야 할 것인지 너희는 생각하 여라. 30 왜냐하면 "내게 보복함이 있고 친히 내가 갚 을 것이다."라고 말씀하시고 다시 "여호와(MT 주님) 께서 그분의 백성을 심판하실 것이다."라고 말씀하신 그분을 우리가 알고 있기 때문이다. 31 살아계신 하 나님의 손들로 빠지는 것은 두려운 일이다.

NET

29 How much greater punishment do you think that person deserves who has contempt for the Son of God, and profanes the blood of the covenant that made him holy, and insults the Spirit of grace? 30 For we know the one who said, "Vengeance is mine, I will repay," and again, "The Lord will judge his people." 31 It is a terrifying thing to fall into the hands of the living God.

32 Ἀναμιμνήσκεσθε δὲ τὰς πρότερον ἡμέρας ἐν αἷς

φωτισθέντες πολλὴν ἄθλησιν ὑπεμείνατε παθημάτων,

33 τοῦτο μὲν ὀνειδισμοῖς τε καὶ θλίψεσιν θεατριζόμενοι, τοῦτο

δὲ κοινωνοὶ τῶν οὕτως ἀναστρεφομένων γενηθέντες.

34 καὶ γὰρ τοῖς δεσμίοις συνεπαθήσατε καὶ τὴν ἁρπαγὴν τῶν

ὑπαρχόντων ὑμῶν μετὰ χαρᾶς προσεδέξασθε γινώσκοντες

ἔχειν ἑαυτοὺς κρείττονα ὕπαρξιν καὶ μένουσαν.

35 μὴ ἀποβάλητε οὖν τὴν παρρησίαν ὑμῶν, ἥτις ἔχει μεγάλην

μισθαποδοσίαν.

맛싸성경

32 그러나 너희가 비침을 받았고(받은 후) 너희가 많은(큰) 고통들의 싸움을 견뎠던 그 이전의 날들을 기억하여라. 33 이것은 한편으로 (너희가) 비방과 환난에 공적으로 드러나졌으나 다른 편으로 그렇게 취급받은 자들과 함께 나누는 자(동료)들이 되었으니 34 이는 너희는 갇힌 자들과 동감하고 너희 소유를 탈취당하는 것도 기쁨으로 받아들이는 것은 너희가 너희를 위한 더 나은 소유와 거주하는 곳을 가지고 있다는 것을 알고 있음이다. 35 그러므로 너희의 담대함을 버리지 마라. 이것(담대함)으로 (각자는) 큰 보상이 있다 (가진다).

NET

32 But remember the former days when you endured a harsh conflict of suffering after you were enlightened. 33 At times you were publicly exposed to abuse and afflictions, and at other times you came to share with others who were treated in that way. 34 For in fact you shared the sufferings of those in prison, and you accepted the confiscation of your belongings with joy, because you knew that you certainly had a better and lasting possession. 35 So do not throw away your confidence, because it has great reward.

36 ὑπομονῆς γὰρ ἔχετε χρείαν ἵνα τὸ θέλημα τοῦ θεοῦ

ποιήσαντες κομίσησθε τὴν ἐπαγγελίαν.

37 ἔτι γὰρ μικρὸν ὅσον ὅσον, ὁ ἐρχόμενος ἥξει καὶ οὐ χρονίσει·

38 ὁ δὲ δικαιός [μου] ἐκ πίστεως ζήσεται, καὶ ἐὰν

ὑποστείληται, οὐκ εὐδοκεῖ ἡ ψυχή μου ἐν αὐτῷ.

39 ἡμεῖς δὲ οὐκ ἐσμὲν ὑποστολῆς εἰς ἀπώλειαν ἀλλὰ πίστεως

εἰς περιποίησιν ψυχῆς.

맛싸성경

36 이는 너희에게 인내의 필요를 가지고 있으니(인내가 필요한 것은) 하나님의 뜻을 행한 후에 너희가 (그) 약속을 받기 위함이다. 37 왜냐하면 "아주 잠시 후면 오실 그분이 오실 것이니 오래 걸리지 않을 것이다. 38 그러나 (나의) 의인은 믿음으로(부터) 살 것이나 만일 그가 (뒤로) 물러나면 내 영혼(마음)이 그를 인하여 기뻐하지 않을 것이다."(라고 하셨음이다). 39 그러나 우리는 파멸하도록 움찔할 자(머뭇거릴 자)들이 아니라 오히려 영혼을 보존하려는(구원함에 이르는) 믿음의 사람들(자들)이다.

NET

36 For you need endurance in order to do God's will and so receive what is promised. 37 For just a little longer and he who is coming will arrive and not delay. 38 But my righteous one will live by faith, and if he shrinks back, I take no pleasure in him. 39 But we are not among those who shrink back and thus perish, but are among those who have faith and preserve their souls.

1 Ἔστιν δὲ πίστις ἐλπιζομένων ὑπόστασις, πραγμάτων ἔλεγχος

οὐ βλεπομένων.

2 ἐν ταύτῃ γὰρ ἐμαρτυρήθησαν οἱ πρεσβύτεροι.

3 Πίστει νοοῦμεν κατηρτίσθαι τοὺς αἰῶνας ῥήματι θεοῦ εἰς τὸ

μὴ ἐκ φαινομένων τὸ βλεπόμενον γεγονέναι.

4 Πίστει πλείονα θυσίαν Ἄβελ παρὰ Κάϊν προσήνεγκεν τῷ θεῷ

δι' ἧς ἐμαρτυρήθη εἶναι δίκαιος, μαρτυροῦντος ἐπὶ τοῖς δώροις

αὐτοῦ τοῦ θεοῦ καὶ δι' αὐτῆς ἀποθανὼν ἔτι λαλεῖ.

맛싸성경

1 믿음은 소망된(바라는) 것들의 실체이고 보이지 않는 것들에 대한 실제 증거이다. 2 왜냐하면 이것(믿음)으로 조상(원로)들이 증거를 받았다. 3 믿음으로 우리는 세상이 하나님의 말씀에 의해 완성된 줄로 이해하니 보이는 것들은 드러난 것으로 된 것이 아니다. 4 믿음으로 아벨은 가인보다 더 나은 제물을 하나님께 드렸고 그것(제물)을 통하여 그가 의롭다고 인정되었으니 하나님께서 그의 예물에 대하여 증거하시며 또 그것(믿음)을 통하여 그가 죽어도 여전히 그가 말하고 있다.

NET

1 Now faith is being sure of what we hope for, being convinced of what we do not see. 2 For by it the people of old received God's commendation. 3 By faith we understand that the worlds were set in order at God's command, so that the visible has its origin in the invisible. 4 By faith Abel offered God a greater sacrifice than Cain, and through his faith he was commended as righteous because God commended him for his offerings. And through his faith he still speaks, though he is dead.

5 Πίστει Ἐνὼχ μετετέθη τοῦ μὴ ἰδεῖν θάνατον, καὶ οὐχ ηὑρίσκετο διότι μετέθηκεν αὐτὸν ὁ θεός. πρὸ γὰρ τῆς μεταθέσεως μεμαρτύρηται εὐαρεστηκέναι τῷ θεῷ· 6 χωρὶς δὲ πίστεως ἀδύνατον εὐαρεστῆσαι· πιστεῦσαι γὰρ δεῖ τὸν προσερχόμενον [τῷ] θεῷ ὅτι ἔστιν καὶ τοῖς ἐκζητοῦσιν αὐτὸν μισθαποδότης γίνεται. 7 Πίστει χρηματισθεὶς Νῶε περὶ τῶν μηδέπω βλεπομένων εὐλαβηθεὶς κατεσκεύασεν κιβωτὸν εἰς σωτηρίαν τοῦ οἴκου αὐτοῦ δι' ἧς κατέκρινεν τὸν κόσμον, καὶ τῆς κατὰ πίστιν δικαιοσύνης ἐγένετο κληρονόμος.

맛싸성경

5 믿음으로 에녹은 죽음을 보지 않고 데려가쳤고 또 그는 찾아지지(보이지) 않았으니 (이는) 하나님이 그를 데려가셨기 때문이다. 그러므로 그는 데려가시기 전에 하나님을 기쁘시게 하였다는 증거를 받았다. 6 그러나 믿음이 없이는 기쁘게 하는 것이 불가능하니 이는 하나님께 가는 자는 그분이 계신 것과 또 그분을 찾는 자들에게 그분이 보상하시는 분이라는 것을 믿는 것이 필수적이기 때문이다. 7 믿음으로 노아는 아직 보이지 않는 것들에 대하여 (하나님의) 경고를 받았고 경외하여(경외함으로) 그의 집안의 구원을 위하여 방주를 준비하였으며 그것(방주)를 통하여 그는 세상을 심판하였고 믿음을 따라서 의의 상속자가 되었다.

NET

5 By faith Enoch was taken up so that he did not see death, and he was not to be found because God took him up. For before his removal he had been commended as having pleased God. 6 Now without faith it is impossible to please him, for the one who approaches God must believe that he exists and that he rewards those who seek him. 7 By faith Noah, when he was warned about things not yet seen, with reverent regard constructed an ark for the deliverance of his family. Through faith he condemned the world and became an heir of the righteousness that comes by faith.

8 Πίστει καλούμενος Ἀβραὰμ ὑπήκουσεν ἐξελθεῖν εἰς τόπον ὃν

ἤμελλεν λαμβάνειν εἰς κληρονομίαν, καὶ ἐξῆλθεν μὴ

ἐπιστάμενος ποῦ ἔρχεται.

9 Πίστει παρῴκησεν εἰς γῆν τῆς ἐπαγγελίας ὡς ἀλλοτρίαν ἐν

σκηναῖς κατοικήσας μετὰ Ἰσαὰκ καὶ Ἰακὼβ τῶν

συγκληρονόμων τῆς ἐπαγγελίας τῆς αὐτῆς·

10 ἐξεδέχετο γὰρ τὴν τοὺς θεμελίους ἔχουσαν πόλιν ἧς

τεχνίτης καὶ δημιουργὸς ὁ θεός.

맛싸성경

8 믿음으로 아브라함은 부르심을 받았을 때 그는 상속을 위해 받으려는 장소로 들어가기를 순종하였으니 그는 어디를 가야 할지 인지하지 못하고 나갔다. 9 믿음으로 그는 약속의 땅에서 이방인같이 거류하였고 이삭과 야곱과 함께 약속의 같은 상속자로 거주지에 함께 살았으니 10 이는 그가 기초들을 가진 도시를 고대했기 때문이며 그곳은 하나님이 설계자이시고 만드시는 분(건축자)이시다.

NET

8 By faith Abraham obeyed when he was called to go out to a place he would later receive as an inheritance, and he went out without understanding where he was going. 9 By faith he lived as a foreigner in the promised land as though it were a foreign country, living in tents with Isaac and Jacob, who were fellow heirs of the same promise. 10 For he was looking forward to the city with firm foundations, whose architect and builder is God.

11 Πίστει καὶ αὐτὴ Σάρρα δύναμιν εἰς καταβολὴν σπέρματος

ἔλαβεν καὶ παρὰ καιρὸν ἡλικίας ἐπεὶ πιστὸν ἡγήσατο τὸν

ἐπαγγειλάμενον.

12 διὸ καὶ ἀφ' ἑνὸς ἐγεννήθησαν, καὶ ταῦτα νενεκρωμένου,

καθὼς τὰ ἄστρα τοῦ οὐρανοῦ τῷ πλήθει καὶ ὡς ἡ ἄμμος ἡ παρὰ

τὸ χεῖλος τῆς θαλάσσης ἡ ἀναρίθμητος.

13 Κατὰ πίστιν ἀπέθανον οὗτοι πάντες, μὴ κομισάμενοι τὰς

ἐπαγγελίας ἀλλὰ πόρρωθεν αὐτὰς ἰδόντες καὶ ἀσπασάμενοι

καὶ ὁμολογήσαντες ὅτι ξένοι καὶ παρεπίδημοί εἰσιν ἐπὶ τῆς

γῆς.

14 οἱ γὰρ τοιαῦτα λέγοντες ἐμφανίζουσιν ὅτι πατρίδα

ἐπιζητοῦσιν.

맛싸성경

11 믿음으로 불임이던 사라 자신도 후손(씨)을 잉태하는 능력을 가졌으니 나이가 많았으나 그 여자는 약속하신 그분을 믿을 만한 (분으로) 생각하였기 때문이다. 12 이런 이유로 죽은 자와 다름없는 한 사람(아브라함)으로부터 하늘의 많은 별들과 같이 또 바닷가의 셀 수 없이 (많은) 모래와 같이 많은 (후손이) 태어났다. 13 이들은 모두 믿음을 따라서 죽었고 약속을 가지지(받지) 못하였으나 그들은 그것들을 멀리서 보았고 환영하였으며 이 땅에서 그들은 이방인들과 거류민들이었음을 고백하였다. 14 그러므로 이들이 이러한 것들을 말하는 것은 자기들이 본향을 찾는 것이 명백한 것이다.

NET

11 By faith, even though Sarah herself was barren and he was too old, he received the ability to procreate because he regarded the one who had given the promise to be trustworthy. 12 So in fact children were fathered by one man—and this one as good as dead—like the number of stars in the sky and like the innumerable grains of sand on the seashore. 13 These all died in faith without receiving the things promised, but they saw them in the distance and welcomed them and acknowledged that they were strangers and foreigners on the earth. 14 For those who speak in such a way make it clear that they are seeking a homeland.

15 καὶ εἰ μὲν ἐκείνης ἐμνημόνευον ἀφ' ἧς ἐξέβησαν, εἶχον ἂν

καιρὸν ἀνακάμψαι·

16 νῦν δὲ κρείττονος ὀρέγονται τοῦτ' ἔστιν ἐπουρανίου. διὸ

οὐκ ἐπαισχύνεται αὐτοὺς ὁ θεὸς θεὸς ἐπικαλεῖσθαι αὐτῶν·

ἡτοίμασεν γὰρ αὐτοῖς πόλιν.

17 Πίστει προσενήνοχεν Ἀβραὰμ τὸν Ἰσαὰκ πειραζόμενος καὶ

τὸν μονογενῆ προσέφερεν, ὁ τὰς ἐπαγγελίας ἀναδεξάμενος,

18 πρὸς ὃν ἐλαλήθη ὅτι ἐν Ἰσαὰκ κληθήσεταί σοι σπέρμα,

19 λογισάμενος ὅτι καὶ ἐκ νεκρῶν ἐγείρειν δυνατὸς ὁ θεός,

ὅθεν αὐτὸν καὶ ἐν παραβολῇ ἐκομίσατο.

맛싸성경

15 만일 참으로 그들이 나온 곳으로부터 그곳(본향)을 마음에 생각했다면 그들은 돌아갈 때(기회)를 가졌을 것이나 16 이제 그들은 더 좋은 곳(본향)을 사모하니 그곳은 하늘에 있는 것이다. 이런 이유로 하나님께서 그들에게 그들의 하나님으로 불리는 것을 부끄러워하지 않으셨으니 이는 그분이 그들을 위한 한 도시를 예비하셨음이다. 17 믿음으로 아브라함은 그가 시험을 받을 때 이삭을 드렸으니 (하나님의) 약속들을 받은 자인 그가 그의 독자를 드렸다. 18 그에 대해서 (이미) 말씀하셨다. "너에게 자손은 이삭 안에서 불릴 것이다." 19 그는 하나님이 죽은 자에서부터 일으킬 (살릴) 수 있는 분이라고 여겼으니 이런 이유로 그(이삭)를 비유로 말하자면 그(아브라함)가 돌려받았다.

NET

15 In fact, if they had been thinking of the land that they had left, they would have had opportunity to return. 16 But as it is, they aspire to a better land, that is, a heavenly one. Therefore, God is not ashamed to be called their God, for he has prepared a city for them. 17 By faith Abraham, when he was tested, offered up Isaac. He had received the promises, yet he was ready to offer up his only son. 18 God had told him, "Through Isaac descendants will carry on your name," 19 and he reasoned that God could even raise him from the dead, and in a sense he received him back from there.

11 | Westcott-Hort Greek NT

20 Πίστει καὶ περὶ μελλόντων εὐλόγησεν Ἰσαὰκ τὸν Ἰακὼβ καὶ τὸν Ἡσαῦ.

21 Πίστει Ἰακὼβ ἀποθνῄσκων ἕκαστον τῶν υἱῶν Ἰωσὴφ εὐλόγησεν καὶ προσεκύνησεν ἐπὶ τὸ ἄκρον τῆς ῥάβδου αὐτοῦ.

22 Πίστει Ἰωσὴφ τελευτῶν περὶ τῆς ἐξόδου τῶν υἱῶν Ἰσραὴλ ἐμνημόνευσεν καὶ περὶ τῶν ὀστέων αὐτοῦ ἐνετείλατο.

맛싸성경

20 믿음으로 이삭은 일어날 것들에 대해서 야곱과 에서를 축복하였다. 21 믿음으로 야곱은 죽을 때 요셉의 아들들을 각각 축복하였고 그의 막대기의 끝에서 (머리에 의지하여) 경배하였다. 22 믿음으로 요셉은 죽을 때 이스라엘 아들(자손)들의 출애굽에 대해서 언급하였고 자기 뼈들에 대해서 명령하였다.

NET

20 By faith also Isaac blessed Jacob and Esau concerning the future. 21 By faith Jacob, as he was dying, blessed each of the sons of Joseph and worshiped as he leaned on his staff. 22 By faith Joseph, at the end of his life, mentioned the exodus of the sons of Israel and gave instructions about his burial.

23 Πίστει Μωϋσῆς γεννηθεὶς ἐκρύβη τρίμηνον ὑπὸ τῶν πατέρων αὐτοῦ, διότι εἶδον ἀστεῖον τὸ παιδίον καὶ οὐκ ἐφοβήθησαν τὸ διάταγμα τοῦ βασιλέως.

24 Πίστει Μωϋσῆς μέγας γενόμενος ἠρνήσατο λέγεσθαι υἱὸς Θυγατρὸς Φαραώ,

25 μᾶλλον ἑλόμενος συγκακουχεῖσθαι τῷ λαῷ τοῦ θεοῦ ἢ πρόσκαιρον ἔχειν ἁμαρτίας ἀπόλαυσιν,

26 μείζονα πλοῦτον ἡγησάμενος τῶν Αἰγύπτου θησαυρῶν τὸν ὀνειδισμὸν τοῦ Χριστοῦ· ἀπέβλεπεν γὰρ εἰς τὴν μισθαποδοσίαν.

맛싸성경

23 믿음으로 모세가 태어났을 때 그의 부모에 의해서 3개월 동안 숨겨졌으니 이는 아이가 아름다웠고 그들은 왕의 명령을 두려워하지 않았기 때문이었다. 24 믿음으로 모세는 크게 되자 그는 파라오의 딸의 아들이라고 말해지는 것을 거부하였으니 25 일시적인 죄의 향락보다도 오히려 하나님의 백성과 함께 고난받는 것을 선택하였고 26 그리스도를 인한 모욕을 이집트의 보물들보다도 더한 부요함으로 여겼으니 이는 그가 보상을 바랐음이다.

NET

23 By faith, when Moses was born, his parents hid him for three months because they saw the child was beautiful and they were not afraid of the king's edict. 24 By faith, when he grew up, Moses refused to be called the son of Pharaoh's daughter, 25 choosing rather to be ill-treated with the people of God than to enjoy sin's fleeting pleasure. 26 He regarded abuse suffered for Christ to be greater wealth than the treasures of Egypt, for his eyes were fixed on the reward.

27 Πίστει κατέλιπεν Αἴγυπτον μὴ φοβηθεὶς τὸν θυμὸν τοῦ

βασιλέως· τὸν γὰρ ἀόρατον ὡς ὁρῶν ἐκαρτέρησεν.

28 Πίστει πεποίηκεν τὸ πάσχα καὶ τὴν πρόσχυσιν τοῦ αἵματος,

ἵνα μὴ ὁ ὀλοθρεύων τὰ πρωτότοκα θίγῃ αὐτῶν.

29 Πίστει διέβησαν τὴν ἐρυθρὰν θάλασσαν ὡς διὰ ξηρᾶς γῆς,

ἧς πεῖραν λαβόντες οἱ Αἰγύπτιοι κατεπόθησαν.

30 Πίστει τὰ τείχη Ἰεριχὼ ἔπεσαν κυκλωθέντα ἐπὶ ἑπτὰ

ἡμέρας.

31 Πίστει Ῥαὰβ ἡ πόρνη οὐ συναπώλετο τοῖς ἀπειθήσασιν

δεξαμένη τοὺς κατασκόπους μετ' εἰρήνης.

맛싸성경

27 믿음으로 그는 이집트를 떠났고 왕의 분노를 두려워하지 않았으니 이는 보이지 않는 분을 보는 것같이 견디었기 때문이다. 28 믿음으로 그는 넘어가신 날(유월절)과 피를 뿌림을 지켰으니 이는 첫 번째 난 자들을 멸하는 자가 그들을 만지지 못하게 하심이라. 29 믿음으로 그(이스라엘 백성)들은 홍해를 마른 땅같이 건넜고 이집트 사람들은 이것을 시험하다가 삼켜졌다. 30 믿음으로 예리호(여리고)의 성벽(들)이 무너졌으니 7일 동안 그들이 돌았기 때문이다. 31 믿음으로 창녀 라합은 불순종하는 자들과 함께 멸망하지 않았으니 탐지한 자들을 평안히 영접하였음이다.

NET

27 By faith he left Egypt without fearing the king's anger, for he persevered as though he could see the one who is invisible. 28 By faith he kept the Passover and the sprinkling of the blood, so that the one who destroyed the firstborn would not touch them. 29 By faith they crossed the Red Sea as if on dry ground, but when the Egyptians tried it, they were swallowed up. 30 By faith the walls of Jericho fell after the people marched around them for seven days. 31 By faith Rahab the prostitute escaped the destruction of the disobedient because she welcomed the spies in peace.

11 Westcott-Hort Greek NT

32 Καὶ τί ἔτι λέγω; ἐπιλείψει με γὰρ διηγούμενον ὁ χρόνος περὶ Γεδεών, Βαράκ Σαμψών, Ἰεφθάε, Δαυίδ τε καὶ Σαμουὴλ καὶ τῶν προφητῶν,

33 οἳ διὰ πίστεως κατηγωνίσαντο βασιλείας, εἰργάσαντο δικαιοσύνην, ἐπέτυχον ἐπαγγελιῶν, ἔφραξαν στόματα λεόντων,

34 ἔσβεσαν δύναμιν πυρός, ἔφυγον στόματα μαχαίρης, ἐδυναμώθησαν ἀπὸ ἀσθενείας, ἐγενήθησαν ἰσχυροὶ ἐν πολέμῳ, παρεμβολὰς ἔκλιναν ἀλλοτρίων.

35 ἔλαβον γυναῖκες ἐξ ἀναστάσεως τοὺς νεκροὺς αὐτῶν· ἄλλοι δὲ ἐτυμπανίσθησαν οὐ προσδεξάμενοι τὴν ἀπολύτρωσιν, ἵνα κρείττονος ἀναστάσεως τύχωσιν.

맛싸성경

32 그리고 내가 무엇을 아직도 말하겠는가? 그러므로 기드온과 바락과 삼손과 입다와 다윗과 사무엘과 선지자들에 대해서 설명하려면 시간이 부족할 것이다. 33 그들은 믿음을 통하여 왕국들을 정복하기도 하였고 의를 행하기도 하였으며 약속들을 받기도 하였고 사자들의 입들을 닫기도 하였으며 34 불의 능력을 끄기도 하였고 칼들의 날(입)을 피하기도 하였으며 약한 자로부터 용감하게 되기도 하였고 전쟁에서 강해지기도 하였으며 이방인들의 진들로 도망하게도 하였고 35 여자들은 자신들의 죽은 자들을 부활로 받기도 하였으며 또 다른 자들은 고문을 당하였으나 풀려나는 것을 기대하지 않았으니 이는 그들이 더 나은 부활을 얻고자 함이었다.

NET

32 And what more shall I say? For time will fail me if I tell of Gideon, Barak, Samson, Jephthah, of David and Samuel and the prophets. 33 Through faith they conquered kingdoms, administered justice, gained what was promised, shut the mouths of lions, 34 quenched raging fire, escaped the edge of the sword, gained strength in weakness, became mighty in battle, put foreign armies to flight, 35 and women received back their dead raised to life. But others were tortured, not accepting release, to obtain resurrection to a better life.

36 ἕτεροι δὲ ἐμπαιγμῶν καὶ μαστίγων πεῖραν ἔλαβον, ἔτι δὲ

δεσμῶν καὶ φυλακῆς·

37 ἐλιθάσθησαν, ἐπειράσθησαν, ἐπρίσθησαν ἐν φόνῳ μαχαίρης

ἀπέθανον, περιῆλθον ἐν μηλωταῖς, ἐν αἰγείοις δέρμασιν,

ὑστερούμενοι, θλιβόμενοι, κακουχούμενοι,

38 ὧν οὐκ ἦν ἄξιος ὁ κόσμος, ἐπὶ ἐρημίαις πλανώμενοι καὶ

ὄρεσιν καὶ σπηλαίοις καὶ ταῖς ὀπαῖς τῆς γῆς.

39 Καὶ οὗτοι πάντες μαρτυρηθέντες διὰ τῆς πίστεως οὐκ

ἐκομίσαντο τὴν ἐπαγγελίαν,

40 τοῦ θεοῦ περὶ ἡμῶν κρεῖττόν τι προβλεψαμένου, ἵνα μὴ

χωρὶς ἡμῶν τελειωθῶσιν.

맛싸성경

36 그리고 다른 사람들은 모욕들과 채찍들의 시험도 받았고 포로(결박)들과 감옥에 (갇혔고) 37 그들은 돌로 맞았고 톱으로 잘리며 칼로 죽었고 양(들) 가죽들과 염소(들) 가죽들로 (입고) 다녔으며 궁핍함과 눌림과 고문을 (당하였으니) 38 -이런 사람들은 세상이 감당하지 못한다.- 광야들에서 방황하였고 산들과 동굴들과 토굴들에서 방황하였다. 39 그리고 이런 자들 모두는 믿음을 통하여 증거를 받았으나 약속을 받지는 않았으니 40 하나님께서는 우리에 대해서 더 나은 것을 예비하셨으니 우리가 없이는 그들이 온전히 되지 못하게 하심이다.

NET

36 And others experienced mocking and flogging, and even chains and imprisonment. 37 They were stoned, sawed apart, murdered with the sword; they went about in sheepskins and goatskins; they were destitute, afflicted, ill-treated 38 (the world was not worthy of them); they wandered in deserts and mountains and caves and openings in the earth. 39 And these all were commended for their faith, yet they did not receive what was promised. 40 For God had provided something better for us, so that they would be made perfect together with us.

1 Τοιγαροῦν καὶ ἡμεῖς τοσοῦτον ἔχοντες περικείμενον ἡμῖν νέφος μαρτύρων, ὄγκον ἀποθέμενοι πάντα καὶ τὴν εὐπερίστατον ἁμαρτίαν, δι' ὑπομονῆς τρέχωμεν τὸν προκείμενον ἡμῖν ἀγῶνα.

2 ἀφορῶντες εἰς τὸν τῆς πίστεως ἀρχηγὸν καὶ τελειωτὴν Ἰησοῦν, ὃς ἀντὶ τῆς προκειμένης αὐτῷ χαρᾶς ὑπέμεινεν σταυρὸν αἰσχύνης καταφρονήσας ἐν δεξιᾷ τε τοῦ θρόνου τοῦ θεοῦ κεκάθικεν.

3 ἀναλογίσασθε γὰρ τὸν τοιαύτην ὑπομεμενηκότα ὑπὸ τῶν ἁμαρτωλῶν εἰς ἑαυτοὺς ἀντιλογίαν, ἵνα μὴ κάμητε ταῖς ψυχαῖς ὑμῶν ἐκλυόμενοι.

맛싸성경

1 그러므로 우리도 엄청 많은 구름 같은 증인들이 우리를 둘러싸고 있으니 모든 무거운 짐과 우리를 방해하는 죄를 내려놓고 인내를 통하여 우리 앞에 놓여 있는 경주를 달려가자. 2 믿음을 위한 시작자이며 완수자(완성자)이신 예수를 주목하자. 그분은 자신 앞에 놓였던 십자가를 기쁨으로 인내하셔서 창피를 우습게 보시고 하나님의 보좌 우편에 앉으셨다. 3 그러므로 그분을 반역한 죄인들에 의해서 그렇게 인내하신 분을 생각하라. 이는 너희가 낙심하지 않도록 하며 너희 마음에 용기를 잃지 않게 하려 함이다.

NET

1 Therefore, since we are surrounded by such a great cloud of witnesses, we must get rid of every weight and the sin that clings so closely, and run with endurance the race set out for us, 2 keeping our eyes fixed on Jesus, the pioneer and perfecter of our faith. For the joy set out for him he endured the cross, disregarding its shame, and has taken his seat at the right hand of the throne of God. 3 Think of him who endured such opposition against himself by sinners, so that you may not grow weary in your souls and give up.

4 Οὔπω μέχρις αἵματος ἀντικατέστητε πρὸς τὴν ἁμαρτίαν ἀνταγωνιζόμενοι.

5 καὶ ἐκλέλησθε τῆς παρακλήσεως, ἥτις ὑμῖν ὡς υἱοῖς διαλέγεται. Υἱέ μου μὴ ὀλιγώρει παιδείας κυρίου μηδὲ ἐκλύου ὑπ' αὐτοῦ ἐλεγχόμενος·

6 ὃν γὰρ ἀγαπᾷ κύριος παιδεύει, μαστιγοῖ δὲ πάντα υἱὸν ὃν παραδέχεται.

7 εἰς παιδείαν ὑπομένετε, ὡς υἱοῖς ὑμῖν προσφέρεται ὁ θεός. τίς γὰρ υἱὸς ὃν οὐ παιδεύει πατήρ;.

8 εἰ δὲ χωρίς ἐστε παιδείας ἧς μέτοχοι γεγόνασιν πάντες ἄρα νόθοι καὶ οὐχ υἱοί ἐστε.

맛싸성경

4 아직까지는 죄에 대항해서 싸우나 피 (흘리기)까지는 너희가 맞서지 않았고 5 아들들에게 하듯 너희에게 말씀하신 권면을 너희는 잊었다. "내 아들아, 주의 훈계를 가볍게 여기지 말고 그분에 의해서 책망받을 때 용기를 잃지 마라. 6 왜냐하면 주께서 사랑하는 자를 훈계하시고 그분이 맞아들인 모든 아들에게 징계하시기 때문이다." 7 하나님이 너희를 아들같이 대하시는 것같이 너희는 훈계를 인내하여라. 이는 아버지가 훈계하지 않는 아들이 어디 있는가? 8 그러나 만일 모두가 동참하는 훈계가 너희에게 없다면 너희는 (친)아들들이 아니라 사생자들이다.

NET

4 You have not yet resisted to the point of bloodshed in your struggle against sin. 5 And have you forgotten the exhortation addressed to you as sons? "My son, do not scorn the Lord's discipline or give up when he corrects you. 6 For the Lord disciplines the one he loves and chastises every son he accepts." 7 Endure your suffering as discipline; God is treating you as sons. For what son is there that a father does not discipline? 8 But if you do not experience discipline, something all sons have shared in, then you are illegitimate and are not sons.

9 εἶτα τοὺς μὲν τῆς σαρκὸς ἡμῶν πατέρας εἴχομεν παιδευτὰς

καὶ ἐνετρεπόμεθα· οὐ πολὺ μᾶλλον ὑποταγησόμεθα τῷ πατρὶ

τῶν πνευμάτων καὶ ζήσομεν;.

10 οἱ μὲν γὰρ πρὸς ὀλίγας ἡμέρας κατὰ τὸ δοκοῦν αὐτοῖς

ἐπαίδευον, ὁ δὲ ἐπὶ τὸ συμφέρον εἰς τὸ μεταλαβεῖν τῆς

ἁγιότητος αὐτοῦ.

맛싸성경

9 더구나 우리를 훈계하는 육신의 아버지들을 가지고 있어도 우리는 (그들을) 존경하는데 더더욱 영들의 아버지께 우리는 복종하고 살아야 할 것이 아니냐? 10 그들은 그들의 생각들을 따라서 몇 날 동안 훈계하지만 그분(하나님)은 우리가 유익하도록 자신의 거룩하심을 수여받도록 (훈계)하신다.

NET

9 Besides, we have experienced discipline from our earthly fathers and we respected them; shall we not submit ourselves all the more to the Father of spirits and receive life? 10 For they disciplined us for a little while as seemed good to them, but he does so for our benefit, that we may share his holiness.

11 πᾶσα μὲν παιδεία πρὸς μὲν τὸ παρὸν οὐ δοκεῖ χαρᾶς εἶναι
ἀλλὰ λύπης, ὕστερον δὲ καρπὸν εἰρηνικὸν τοῖς δι' αὐτῆς
γεγυμνασμένοις ἀποδίδωσιν δικαιοσύνης.

12 Διὸ τὰς παρειμένας χεῖρας καὶ τὰ παραλελυμένα γόνατα
ἀνορθώσατε,

13 καὶ τροχιὰς ὀρθὰς ποιεῖτε τοῖς ποσὶν ὑμῶν, ἵνα μὴ τὸ χωλὸν
ἐκτραπῇ ἰαθῇ δὲ μᾶλλον.

맛싸성경

11 그러나 모든 훈계가 그 당시에는 기쁨으로 여겨지지 않고 슬픔이지만 그 후에는 그것을 통해서 훈련된 자들에게는 의의 화평한 열매를 낸다(맺는다). 12 그러므로 게을러진 손들과 약해진 무릎들을 강하게 하고 13 너희 발들을 위하여 곧은 길들을 만들어서 저는 다리로 길에서 벗어나지 말고 오히려 치료를 받아라.

NET

11 Now all discipline seems painful at the time, not joyful. But later it produces the fruit of peace and righteousness for those trained by it. 12 Therefore, strengthen your listless hands and your weak knees, 13 and make straight paths for your feet, so that what is lame may not be put out of joint but be healed.

14 Εἰρήνην διώκετε μετὰ πάντων καὶ τὸν ἁγιασμόν, οὗ χωρὶς οὐδεὶς ὄψεται τὸν κύριον,

15 ἐπισκοποῦντες μή τις ὑστερῶν ἀπὸ τῆς χάριτος τοῦ θεοῦ, μή τις ῥίζα πικρίας ἄνω φύουσα ἐνοχλῇ καὶ δι' αὐτῆς μιανθῶσιν οἱ πολλοί,

16 μή τις πόρνος ἢ βέβηλος ὡς Ἠσαῦ, ὃς ἀντὶ βρώσεως μιᾶς ἀπέδετο τὰ πρωτοτόκια ἑαυτοῦ.

17 ἴστε γὰρ ὅτι καὶ μετέπειτα θέλων κληρονομῆσαι τὴν εὐλογίαν ἀπεδοκιμάσθη, μετανοίας γὰρ τόπον οὐχ εὗρεν καίπερ μετὰ δακρύων ἐκζητήσας αὐτήν.

맛싸성경

14 모든 사람과 화평하고 성화를 추구하라. 이것(화평과 성화)이 없이는 아무도 주님을 보지 못할 것이니 15 하나님의 은혜로부터 어떤 자도 제외되지 않도록 잘 살펴보아서 어떤 쓴 뿌리도 너희에게서 위로 자라나서 문제되지 않게 하고 그것을 통해서 많은 자들이 전염되지 않도록 해라. 16 어떤 자도 한 끼의 음식 대신에 자신의 장자권을 팔아버렸던 에서와 같이 음란한 자나 불경건한 자가 되지 않도록 해라. 17 이는 너희가 아는 바와 같이 그 후에 그(에서)가 복을 상속하기를 원하였지만 거부되었고 그는 눈물로 그것(복)을 구하였지만 회개할 기회를 가지지 못했다.

NET

14 Pursue peace with everyone, and holiness, for without it no one will see the Lord. 15 See to it that no one comes short of the grace of God, that no one be like a bitter root springing up and causing trouble, and through it many become defiled. 16 And see to it that no one becomes an immoral or godless person like Esau, who sold his own birthright for a single meal. 17 For you know that later when he wanted to inherit the blessing, he was rejected, for he found no opportunity for repentance, although he sought the blessing with tears.

18 Οὐ γὰρ προσεληλύθατε ψηλαφωμένῳ καὶ κεκαυμένῳ πυρὶ

καὶ γνόφῳ καὶ ζόφῳ καὶ θυέλλῃ.

19 καὶ σάλπιγγος ἤχῳ καὶ φωνῇ ῥημάτων, ἧς οἱ ἀκούσαντες

παρῃτήσαντο προστεθῆναι αὐτοῖς λόγον,

20 οὐκ ἔφερον γὰρ τὸ διαστελλόμενον· κἂν θηρίον θίγῃ τοῦ

ὄρους λιθοβοληθήσεται·

맛싸성경

18 이는 만질 수 있고 타는 불과 어두움과 흑암과 폭풍이 있는 산에 너희가 온 것이 아니며 19 나팔소리와 말씀의 소리가 있는 곳에 (온 것도 아니다). 듣는 자들은 말씀이 그들에게 더 이상 주어지지 않도록 거부(간청)하였으니 20 이는 "그들이 짐승이라도 그 산을 건드리면 돌로 죽임을 당한다."고 명령하신 것을 감당하지 못했기 때문이고

NET

18 For you have not come to something that can be touched, to a burning fire and darkness and gloom and a whirlwind 19 and the blast of a trumpet and a voice uttering words such that those who heard begged to hear no more. 20 For they could not bear what was commanded: "If even an animal touches the mountain, it must be stoned."

21 καὶ, οὕτως φοβερὸν ἦν τὸ φανταζόμενον, Μωϋσῆς εἶπεν, Ἔκφοβός εἰμι καὶ ἔντρομος.

22 ἀλλὰ προσεληλύθατε Σιὼν ὄρει καὶ πόλει Θεοῦ ζῶντος, Ἰερουσαλὴμ ἐπουρανίῳ, καὶ μυριάσιν ἀγγέλων,

23 πανηγύρει καὶ ἐκκλησίᾳ πρωτοτόκων ἀπογεγραμμένων ἐν οὐρανοῖς καὶ κριτῇ Θεῷ πάντων καὶ πνεύμασιν δικαίων τετελειωμένων.

24 καὶ διαθήκης νέας μεσίτῃ Ἰησοῦ καὶ αἵματι ῥαντισμοῦ κρεῖττον λαλοῦντι παρὰ τὸν Ἄβελ.

맛싸성경

21 그 보이는 것이 얼마나 두려웠던지 모세도 "나도 두렵고 떨린다."라고 말하였다. 22 그러나 너희는 시온 산에 들어왔으니 (그곳은) 살아계신 하나님의 도시로 하늘의 예루살렘이고 수많은 천사들과 23 (BYZ 절기 모임)과 하늘에 기록되어 있는 장자들의 교회(회중)와 모든 자들의 심판자이신 하나님과 온전하게 된 의로운 자들의 영들이 (있으며) 24 (너희는) 새 언약의 중보자이신 예수와 아벨보다도 더 나은 것을 말씀하시는 뿌려진 피로써 (된 자들)이다.

NET

21 In fact, the scene was so terrifying that Moses said, "I shudder with fear." 22 But you have come to Mount Zion, the city of the living God, the heavenly Jerusalem, and to myriads of angels, to the assembly 23 and congregation of the firstborn, who are enrolled in heaven, and to God, the judge of all, and to the spirits of the righteous, who have been made perfect, 24 and to Jesus, the mediator of a new covenant, and to the sprinkled blood that speaks of something better than Abel's does.

25 Βλέπετε μὴ παραιτήσησθε τὸν λαλοῦντα· εἰ γὰρ ἐκεῖνοι οὐκ ἐξέφυγον ἐπὶ γῆς παραιτησάμενοι τὸν χρηματίζοντα, πολὺ μᾶλλον ἡμεῖς οἱ τὸν ἀπ' οὐρανῶν ἀποστρεφόμενοι,

26 οὗ ἡ φωνὴ τὴν γῆν ἐσάλευσεν τότε, νῦν δὲ ἐπήγγελται λέγων, Ἔτι ἅπαξ ἐγὼ σείσω οὐ μόνον τὴν γῆν ἀλλὰ καὶ τὸν οὐρανόν.

27 τὸ δὲ ἔτι ἅπαξ δηλοῖ [τὴν] τῶν σαλευομένων μετάθεσιν ὡς πεποιημένων, ἵνα μείνῃ τὰ μὴ σαλευόμενα.

28 Διὸ βασιλείαν ἀσάλευτον παραλαμβάνοντες ἔχωμεν χάριν δι' ἧς λατρεύωμεν εὐαρέστως τῷ θεῷ μετὰ εὐλαβείας καὶ δέους·

29 καὶ γὰρ ὁ θεὸς ἡμῶν πῦρ καταναλίσκον.

맛싸성경

25 너희는 말씀하시는 분을 거부(거역)하지 않도록 주의하라. 만일 땅에서 경고하신 분을 거부한 자들이 피하지 못하였는데 하늘로부터 (경고하신 분을) 거부한다면 우리가 얼마나 더 하겠느냐(피할 수 있겠느냐)? 26 그때는 그분(말씀하시는 분)의 음성이 땅을 흔들었으나 이제는 그분이 약속하셨고 말씀하시기를 "다시 한번 내가 그 땅만 흔들지 않고 그 하늘도 (흔들 것이다)."(고 하셨다). 27 이 '다시 한번'이라는 것은 만들어진 것들 같이 흔들리는 것들을 그분이 확실히 제거하시며 흔들리지 않는 것들을 남아있도록 하시려는 것이다. 28 그러므로 우리가 흔들리지 않는 왕국을 받았으니 우리는 은혜를 가지자. 그것(은혜)을 통하여 우리는 두려움과 경외함으로 하나님이 받으시도록 (그분을) 섬기자(예배하자). 29 이는 우리 하나님은 삼키는 불이심이라.

NET

25 Take care not to refuse the one who is speaking! For if they did not escape when they refused the one who warned them on earth, how much less shall we, if we reject the one who warns from heaven? 26 Then his voice shook the earth, but now he has promised, "I will once more shake not only the earth but heaven too." 27 Now this phrase "once more" indicates the removal of what is shaken, that is, of created things, so that what is unshaken may remain. 28 So since we are receiving an unshakable kingdom, let us give thanks, and through this let us offer worship pleasing to God in devotion and awe. 29 For our God is indeed a devouring fire.

1 Ἡ φιλαδελφία μενέτω.

2 τῆς φιλοξενίας μὴ ἐπιλανθάνεσθε, διὰ ταύτης γὰρ ἔλαθον

τινες ξενίσαντες ἀγγέλους.

3 μιμνήσκεσθε τῶν δεσμίων ὡς συνδεδεμένοι, τῶν

κακουχουμένων ὡς καὶ αὐτοὶ ὄντες ἐν σώματι.

4 Τίμιος ὁ γάμος ἐν πᾶσιν καὶ ἡ κοίτη ἀμίαντος, πόρνους γὰρ

καὶ μοιχοὺς κρινεῖ ὁ θεός.

맛싸성경

1 형제 사랑을 계속하도록 하라. 2 너희는 손님 대접 하기를 잊지 마라. 이는 어떤 사람들이 그것(손님 대 접)을 통해서 알지 못하고(부지중에) 천사들을 대접하 였음이라. 3 너희는 갇힌 자들과 함께 있는 것같이 갇 힌 자들을 기억하고 너희 자신들도 몸으로 있는 것같 이(몸을 가지고 있으니) 고통받는(학대받는) 자들을 기억하라. 4 모든 자들 가운데 결혼을 존중하고 잠자 리를 더럽히지 마라. 이는 음란한 자들과 간음하는 자 들을 하나님이 심판하실 것이기 때문이다.

NET

1 Brotherly love must continue. 2 Do not neglect hospitality because through it some have entertained angels without knowing it. 3 Remember those in prison as though you were in prison with them, and those ill-treated as though you, too, felt their torment. 4 Marriage must be honored among all and the marriage bed kept undefiled, for God will judge sexually immoral people and adulterers.

5 Ἀφιλάργυρος ὁ τρόπος, ἀρκούμενοι τοῖς παροῦσιν. αὐτὸς

γὰρ εἴρηκεν, Οὐ μὴ σε ἀνῶ οὐδ' οὐ μὴ σε ἐγκαταλίπω,

6 ὥστε θαρροῦντας ἡμᾶς λέγειν, Κύριος ἐμοὶ βοηθός, οὐ

φοβηθήσομαι, τί ποιήσει μοι ἄνθρωπος;.

7 Μνημονεύετε τῶν ἡγουμένων ὑμῶν οἵτινες ἐλάλησαν ὑμῖν

τὸν λόγον τοῦ θεοῦ, ὧν ἀναθεωροῦντες τὴν ἔκβασιν τῆς

ἀναστροφῆς μιμεῖσθε τὴν πίστιν.

8 Ἰησοῦς Χριστὸς ἐχθὲς καὶ σήμερον ὁ αὐτὸς καὶ εἰς τοὺς

αἰῶνας.

맛싸성경

5 탐욕하지(돈을 사랑하지) 않는 삶을 살고 있는 것들로 자족하라. 왜냐하면 그분 자신이 "내가 너를 결코 떠나지 않으며 내가 너를 결코 버리지 않을 것이다." 라고 말씀하셨기 때문이다. 6 그러므로 우리는 확신 있게 말한다. "여호와(MT 주님)는 나를 돕는 자이시니 나는 두려워하지 않을 것이다. 사람이 나에게 무엇을 행할 것인가?" 7 너희는 너희를 인도한 자들을 기억하라. 그들은 너희에게 하나님의 말씀을 말해 준 자들이니 그들의 행동의 마지막을 잘 지켜보고(고려하여) (그들의) 믿음을 본받아라. 8 예수 그리스도는 어제나 오늘이나 영원까지 동일하시다.

NET

5 Your conduct must be free from the love of money, and you must be content with what you have, for he has said, "I will never leave you and I will never abandon you." 6 So we can say with confidence, "The Lord is my helper, and I will not be afraid. What can people do to me?" 7 Remember your leaders, who spoke God's message to you; reflect on the outcome of their lives and imitate their faith. 8 Jesus Christ is the same yesterday and today and forever!

9 διδαχαῖς ποικίλαις καὶ ξέναις μὴ παραφέρεσθε· καλὸν γὰρ

χάριτι βεβαιοῦσθαι τὴν καρδίαν, οὐ βρώμασιν ἐν οἷς οὐκ

ὠφελήθησαν οἱ περιπατοῦντες.

10 ἔχομεν θυσιαστήριον ἐξ οὗ φαγεῖν οὐκ ἔχουσιν [ἐξουσίαν]

οἱ τῇ σκηνῇ λατρεύοντες.

11 ὧν γὰρ εἰσφέρεται ζώων τὸ αἷμα περὶ ἁμαρτίας εἰς τὰ ἅγια

διὰ τοῦ ἀρχιερέως, τούτων τὰ σώματα κατακαίεται ἔξω τῆς

παρεμβολῆς.

12 διὸ καὶ Ἰησοῦς, ἵνα ἁγιάσῃ διὰ τοῦ ἰδίου αἵματος τὸν λαόν,

ἔξω τῆς πύλης ἔπαθεν.

맛싸성경

9 다양하고 이상한 가르침들에 끌려다니지 마라. 왜냐하면 마음은 음식으로가 아니라 은혜로 강해지는 것이 좋으니 그것(음식)을 통해서 걷는(행하는) 자들은 유익이 없다. 10 우리에게는 한 제단이 있는데 성막에서 섬기는(예배하는) 자들은 그곳에서부터 먹을 권위를(권한을) 가지고 있지 않다. 11 이는 죄에 대한 짐승들의 피는 대성직자를 통하여 거룩한 곳들(지성소)로 가지고 가고 그 몸은 진 밖에서 태워지기 때문이다. 12 그러므로 예수도 그분 자신의 피를 통하여 백성들을 거룩하게 하시려고 성문 밖에서 고난 당하셨다.

NET

9 Do not be carried away by all sorts of strange teachings. For it is good for the heart to be strengthened by grace, not ritual meals, which have never benefited those who participated in them. 10 We have an altar that those who serve in the tabernacle have no right to eat from. 11 For the bodies of those animals whose blood the high priest brings into the sanctuary as an offering for sin are burned outside the camp. 12 Therefore, to sanctify the people by his own blood, Jesus also suffered outside the camp.

13 τοίνυν ἐξερχώμεθα πρὸς αὐτὸν ἔξω τῆς παρεμβολῆς τὸν

ὀνειδισμὸν αὐτοῦ φέροντες·

14 οὐ γὰρ ἔχομεν ὧδε μένουσαν πόλιν ἀλλὰ τὴν μέλλουσαν

ἐπιζητοῦμεν.

15 δι' αὐτοῦ ἀναφέρωμεν θυσίαν αἰνέσεως διὰ πάντος τῷ θεῷ,

τουτ' ἔστιν καρπὸν χειλέων ὁμολογούντων τῷ ὀνόματι αὐτοῦ.

16 τῆς δὲ εὐποιΐας καὶ κοινωνίας μὴ ἐπιλανθάνεσθε· τοιαύταις

γὰρ θυσίαις εὐαρεστεῖται ὁ θεός.

맛싸성경

13 따라서 우리도 그분의 모욕을 감당하여 진 밖에 (있는) 그분께 나아가자. 14 왜냐하면 우리가 여기서는 지속되는 도시를 가지고 있지 않으나 우리가 (장차) 임할 (도시)를 구한다(찾는다). 15 그러므로 그분을 통하여 우리는 찬송의 제물을 지속적으로 하나님께 올려 드리자. (곧) 이것은 그분의 이름을 고백하는 입술들의 열매이다. 16 또한 선행과 나눔(교제)을 너희는 등한히 하지 마라. 이는 그러한 제물들로 하나님이 기뻐하심이라.

NET

13 We must go out to him, then, outside the camp, bearing the abuse he experienced. 14 For here we have no lasting city, but we seek the city that is to come. 15 Through him then let us continually offer up a sacrifice of praise to God, that is, the fruit of our lips, acknowledging his name. 16 And do not neglect to do good and to share what you have, for God is pleased with such sacrifices.

17 Πείθεσθε τοῖς ἡγουμένοις ὑμῶν καὶ ὑπείκετε, αὐτοὶ γὰρ

ἀγρυπνοῦσιν ὑπὲρ τῶν ψυχῶν ὑμῶν ὡς λόγον ἀποδώσοντες,

ἵνα μετὰ χαρᾶς τοῦτο ποιῶσιν καὶ μὴ στενάζοντες· ἀλυσιτελὲς

γὰρ ὑμῖν τοῦτο.

18 Προσεύχεσθε περὶ ἡμῶν· πειθόμεθα γὰρ ὅτι καλὴν

συνείδησιν ἔχομεν ἐν πᾶσιν καλῶς θέλοντες ἀναστρέφεσθαι.

19 περισσοτέρως δὲ παρακαλῶ τοῦτο ποιῆσαι, ἵνα τάχιον

ἀποκατασταθῶ ὑμῖν.

맛싸성경

17 너희(를) 인도한 자들에게 순종하고 복종하라. 이는 그들이 너희 영혼들을 위하여 경성하고 (자신이) 결산하는 것같이 하니 그들이 이것을 기쁨과 함께 행하게 하고 (그들로) 한숨을 짓게 (하지) 마라. 이(렇게 하는) 것은 너희에게 유익하지 않다(해롭다). 18 우리를 위해서 기도하라. 이는 우리는 선한 양심을 가지고 있는 것을 우리가 확신하니 모든 일에 바르게 살려고 원하기 때문이다. 19 그러나 내가 특별히(간절히) 이것을 행하기를 권하니 그리하여 내가 너희에게 속히 회복되려고(돌아가려고) 함이다.

NET

17 Obey your leaders and submit to them, for they keep watch over your souls and will give an account for their work. Let them do this with joy and not with complaints, for this would be no advantage for you. 18 Pray for us, for we are sure that we have a clear conscience and desire to conduct ourselves rightly in every respect. 19 I especially ask you to pray that I may be restored to you very soon.

20 Ὁ δὲ θεὸς τῆς εἰρήνης, ὁ ἀναγαγὼν ἐκ νεκρῶν τὸν ποιμένα τῶν προβάτων τὸν μέγαν ἐν αἵματι διαθήκης αἰωνίου, τὸν κύριον ἡμῶν Ἰησοῦν,

21 καταρτίσαι ὑμᾶς ἐν παντὶ ἀγαθῷ εἰς τὸ ποιῆσαι τὸ θέλημα αὐτοῦ, ποιῶν ἐν ἡμῖν τὸ εὐάρεστον ἐνώπιον αὐτοῦ διὰ Ἰησοῦ Χριστοῦ, ᾧ ἡ δόξα εἰς τοὺς αἰῶνας τῶν αἰώνων, ἀμήν.

맛싸성경

20 이제 평안의 하나님 곧 영원한 언약의 피 안에서 양들의 위대한 목자이신 우리 주님 예수를 죽은 자들에서부터 위로 올리신 분이 21 선한 모든 일에서 (그분이) 너희를 온전하게 하셔서 그분의 뜻을 행하게 하시며 예수 그리스도를 통하여 그분 앞에서 기쁨이 되는 것을 우리 가운데 행하시기를 원하노라. 영광이 그분께 영원(무궁 BYZ)하시기를 원하노라. 아멘.

NET

20 Now may the God of peace who by the blood of the eternal covenant brought back from the dead the great shepherd of the sheep, our Lord Jesus, 21 equip you with every good thing to do his will, working in us what is pleasing before him through Jesus Christ, to whom be glory forever. Amen.

22 Παρακαλῶ δὲ ὑμᾶς, ἀδελφοί, ἀνέχεσθε τοῦ λόγου τῆς παρακλήσεως, καὶ γὰρ διὰ βραχέων ἐπέστειλα ὑμῖν.

23 Γινώσκετε τὸν ἀδελφὸν ἡμῶν Τιμόθεον ἀπολελυμένον μεθ' οὗ ἐὰν τάχιον ἔρχηται ὄψομαι ὑμᾶς.

24 Ἀσπάσασθε πάντας τοὺς ἡγουμένους ὑμῶν καὶ πάντας τοὺς ἁγίους. ἀσπάζονται ὑμας οἱ ἀπὸ τῆς Ἰταλίας.

25 ἡ χάρις μετὰ πάντων ὑμῶν.

맛싸성경

22 그러나 형제들아, 내가 너희를 권하노니 권면하는 말씀을 너희는 감당하라. 이는 내가 짧게 너희에게 편지하였음이다. 23 우리 형제 디모데가 풀려난 것을 너희가 알고 만일 그가 속히 오면 그와 함께 내가 너희를 볼 것이다. 24 너희를 인도하는 모든 자들과 모든 성도들에게 안부하라. 이탈리아에 있는 자들이 너희에게 문안하느니라. 25 은혜가 너희 모두와 함께 있기를 원하노라. (BYZ 아멘).

NET

22 Now I urge you, brothers and sisters, bear with my message of exhortation, for in fact I have written to you briefly. 23 You should know that our brother Timothy has been released. If he comes soon, he will be with me when I see you. 24 Greetings to all your leaders and all the saints. Those from Italy send you greetings. 25 Grace be with you all.

COVENANT UNIVERSITY

fulfilling the unfulfilled task through equipping missional servant leaders for Christ

목회자를 위한 설교학 석,박사 통합 과정 소개

1. 수업 진행
1) 월간 맛싸 31-33호를 듣기
2) 각권에 따라 원하는 본문을 원문에 근거하여 설교문을 작성하고 먼저 제출하기
3) 먼저 제출된 설교문을 컨설팅하고 완성된 설교문으로 설교하는 동영상(30분)을 촬영하여 제출하기

2. 수강 과목
1) 월간 맛싸 31호 13학점
  (1) 요나(1-9회차) 2학점 - 설교 2편 작성 제출
  (2) 요엘(10-21회차) 2학점 - 설교 2편 작성 제출
  (3) 학개(22-28회차) 2학점 - 설교 2편 작성 제출
  (4) 말라기(29-38회차) 2학점 - 설교 2편 작성 제출
  (5) 오바댜(39-41회차) 1학점 - 설교 1편 작성 제출
  (6) 하박국(42-51회차) 2학점 - 설교 2편 작성 제출
  (7) 스바냐(52-61회차) 2학점 - 설교 2편 작성 제출

2) 맛싸 32호 13학점
  (1) 시편 119편(1-22회차) 2학점 - 설교 2편 작성 제출
  (2) 시편 120-134편(올라가는 노래)(23-38회차) 6학점 - 설교 6편 작성 제출
  (3) 시편 135-150편(39-61회차) 5학점 - 설교 5편 작성 제출

3) 맛싸 33호 13학점
  (1) 룻기 (1-13회) 3학점 - 설교 3편 작성 제출
  (2) 에스더 (14-48회) 3학점 - 설교 3편 작성 제출
  (3) 시편 101-106편(49-62회) 3학점 - 설교 3편 작성 제출
  (4) 신약 자유 본문(월간맛싸QT 내용중) 4학점 - 설교 4편 작성 제출

4) 논문 6학점 혹은 신약 자유 본문 6학점
  (1) 논문 작성시 - 6학점
  (2) 신약 자유 본문(월간맛싸QT 내용중) 6학점 - 설교 6편 작성 제출

3. 학비
2023년 가을학기 (8/28-12/9일까지 15주)
입학자격-학사 및 목회학 석사(Mdiv) 이상 졸업자(M.A 졸업자는 가능)
신학 석사(ThM) 45학점; 박사(DTh) 54학점; 석박사 통합 39+54=93학점
한학기 15학점; 석사 190만원; 박사 286만원
이번학기 송금처 언약성경연구소(Covenant Bible Institution)
농협 355-4696-1189-93 공식구좌

COVENANT UNIVERSITY
Fulfilling the unfulfilled task through equipping missional servant leaders for Christ

성경 원문을 공부해서 자격증 혹은 정식 학위도 받을 수 있는 기회

Covenant University -http://covenantunversity.us

카버넌트 대학은 미국 캘리포니아의 대학교로 학사, 석사, 박사 학위를 수여할 수 있는 학교입니다. 국제기독대학 협의회 즉 사립 종교대학 공인 기관(ACSI, Num. 107355)이며 또한 통신으로도 공부를 할 수 있는 미국통신고등교육연합협의회(USDLA) 정식 멤버의 학교입니다. 또한 캘리포니아 주 교육국 코드(CEC 4739b 6)및 학교인가번호 1924981과 연방등록번호 33-081445에 따라 설립된 기독교 대학입니다. 장점은 한국에서 자신의 생활을 하면서 통신으로 공부와 과정을 다 마칠 수 있는 것이 장점입니다. 참고로 이 대학은 Stanton University 캠퍼스 대학교(WASC)와 같은 재단에서 운영하는 대학이기도 합니다. 그리고 한국의 월간 맛싸-언약성경협회, 연구소와 MOU를 맺어서 성경원문으로 학위를 주는 과정입니다. 원문성경으로만 공부하는 것은 세계최초의 일입니다. (그럼에도 혹 ATS, AHBC, TRACS등의 자격을 필요로 하는 분들은 미국 현지에 유학 가서 거주하면서 공부하는 코스로 하시기 바랍니다.)

월간 맛싸(원문성경 전문지)와 연계한 학위과정

31호-13학점; 32호 14학점; 33호 13학점; 34호 12학점-현재까지 52학점 개설
(선지서; 시가서; 역사서; 신약-바울서신)

2023년 가을학기 (8/28-12/9일까지 15주)
입학자격-학사이상 국제 정식학위 소지자
신학 석사(ThM) 45학점; 박사(DTh) 54학점; 석박사 통합 39+54=93학점
한학기 15학점; 석사 190만원; 박사 286만원
이번 학기 송금처 언약성경연구소(Covenant Bible Institution)
농협 355-4696-1189-93

4주완성 왕초보 히브리어 성경읽기 시리즈 (총4권)

허동보 목사의 『왕초보 히브리어 펜습자』가 업그레이드 되었습니다.

누구든 한 달만에 히브리어 성경을 읽을 수 있도록 만들어 주는 "왕초보 히브리어 성경읽기 강좌"의 교재가 업그레이드 되었습니다. 부족하나마 지난 『왕초보 히브리어 펜습자』만으로도 많은 분들이 실제로 한 달 만에 히브리어 성경을 읽을 수 있었습니다. 그러나 이에 만족하지 않고 수강생들이 더욱 효과적으로 공부할 수 있도록 다양한 각도에서 연구하고 더 많은 내용을 보강하여 『4주완성 왕초보 히브리어 성경 읽기』 시리즈를 출간하였습니다.

저자 허동보 목사

왕초보 원어성경 홈페이지
https://wcb.modoo.at

· 前 대한예수교장로회 수현교회 담임목사
· 現 "왕초보 히브리어 성경읽기" 강사
· 現 수현북스 대표
· 저서 『왕초보 히브리어 펜습자』
　　　『왕초보 헬라어 펜습자』
　　　『4주완성 왕초보 히브리어 성경읽기』 시리즈

월간 맛싸의 발전과 함께 하실 동역자님을 모십니다.

✓ 평생이사: 월10만원 혹은 연200만원 일시불 / 후원이사: 연10만원
✓ 후원특전: 월간 맛싸와 언약성경연구소 발행 신간을 보내 드리며,
　　　　　세미나와 본사 발전회의에 초대됩니다.
✓ 후원계좌: 농협 302-1258-5603-71 (예금주: LEE HAKJAE)
✓ 정기구독: 1년 6회 90,000원 / 2년 12회: 150,000원
✓ 정기구독 문의 및 안내: 070-4126-3496

정기구독신청서

20 년 월 일

신청인	이름			생년월일	
	주소				
	전화	자택 ( ) –		출석교회	
		회사 ( ) –		직분	담임목사 / 목사 / 전도사 / 장로 / 권사 / 집사
		핸드폰 ( ) –		E-mail	@
수취인	이름				
	주소				
	전화(자택)			회사	핸드폰
신청내용	신청기간	20 년 월 ~ 20 년 월			
	구독기간	☐ 1년 ☐ 2년 ☐ 3년			
	신청부수	부			
결제방법	카드	· 카드종류: 국민, 비씨, 신한, 삼성, 롯데, 현대, 농협, 씨티, VISA, Master, JCB			
		· 카드번호: – – – · 유효기간: /			
		· 소유주: · 일시불/할부 개월			
	온라인				
	자동이체	CMS			
메모